상위권으로 가는 문제 해결 연산 학습지

응용 연산

D3
초4~초5

혼합 계산

Creative to Math
씨투엠

응용연산 : 상위권으로 가는 문제해결 연산 학습지

　　요즘 아이들은 초등학교 입학 전에 연산 문제집 한 권 정도는 풀어본 경험이 있습니다. 어릴 때부터 연산 문제를 많이 풀었기 때문에 아이들은 아직 학교에서 배우지 않은 계산 문제를 슥슥 풀어서 부모님들을 흐뭇하게 만들기도 합니다. 그런데 아이들의 연산 능력은 날로 높아지지만 수학 실력은 과거에 비해 그다지 늘지 않은 것 같습니다. 사실 진짜 수학 실력은 연산 문제나 사고력 수학 문제를 주로 푸는 초등 저학년 때는 잘 드러나지 않습니다. 응용 문제를 본격적으로 풀기 시작하는 초등 3, 4학년이 되어서야 아이의 수학 실력을 판별할 수 있습니다.

　　초등 수학에서 연산이 가장 중요한 것은 부정할 수 없는 사실입니다. 중학생, 고등학생이 되어서 부족한 연산 능력을 키우는 것은 거의 불가능합니다. 이러한 연산의 특수성 때문에 아이들은 어린 나이부터 연산을 반복적으로 연습하여 실력을 키우려고 합니다. 이렇게 열심히 연산을 공부하는데도 왜 어떤 아이들은 수학 문제를 잘 풀지 못하는 것일까요? 그 이유는 현재 연산 학습의 목적이 단지 '계산을 잘 하는 것'이 되어버렸기 때문입니다. 연산은 연산 자체가 목적이 될 수 없으며 수학의 진짜 목표인 문제를 잘 풀기 위한 수단으로 연산을 학습해야 합니다.

　　과거 초등 수학 교과서의 연산 단원은 ① 원리와 연습 ② 문장제 활용의 단순한 구성이었습니다만 요즘의 교과서는 많이 달라졌습니다. 원리와 연습은 그대로이거나 조금 줄었지만 연산을 응용하는 방식은 좀 더 다양해졌습니다. 계산 능력의 향상만을 꾀하는 것이 아니라 여러 가지 퍼즐이나 수학적 상황 등을 해결할 수 있는 '응용력'에 초점을 맞추고 있다는 것을 보여주는 변화입니다. 따라서 저희는 연산 학습지도 원리나 연습 위주에서 벗어나 실제 문제를 해결할 수 있는 능력에 포인트를 맞추어야 한다고 생각합니다.

　　'연산은 잘 하는데 수학 문제는 왜 못 풀까요?'에 대한 대답이자 대안으로 저희는 「응용연산」이라는 새로운 컨셉의 연산 학습지를 만들었습니다. 연산 원리를 이해하고 연습하는 것에 그치지 않고, 익힌 것을 활용하는 방법을 바로 보여줄 수 있어야 아이들이 수학 문제에 연산을 효과적으로 적용할 수 있습니다. 연습은 꼭 필요한 만큼만 하고, 더 중요한 응용 문제에 바로 도전함으로써 연산과 문제 해결이 단절되지 않게 하는 것이 「응용연산」에서 기대하는 가장 큰 목표입니다.

　　「응용연산」을 통해 아이들이 왜 연산을 해야 하는지 스스로 느낄 수 있을 것이라 자신합니다. 이제 연산은 '원리'나 '연습'이 아닌 스스로 문제를 해결할 수 있는 '응용력'입니다.

응용연산의 구성과 특징

- 매일 부담없이 4쪽씩 연산 학습
- 매주 4일간 단계별 연산 학습과 응용 문제를 통한 연산 실력 확인
- 매주 1일 형성평가로 테스트 및 복습

주차별 구성

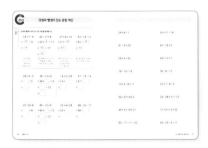

원리연산
대표 문제를 통해 학습하는 매일 새로운
단계별 연산 학습

응용연산
기본 문제와 응용 문제를 통한 응용력과
문제해결력 증진

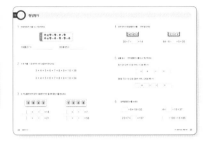

형성평가
가장 중요한 유형을 다시 한번 복습하며
주차 학습 마무리

1주차	1일	2일	3일	4일	5일
	6쪽 ~ 9쪽	10쪽 ~ 13쪽	14쪽 ~ 17쪽	18쪽 ~21쪽	22쪽 ~ 24쪽

2주차	1일	2일	3일	4일	5일
	26쪽 ~ 29쪽	30쪽 ~ 33쪽	34쪽 ~ 37쪽	38쪽 ~41쪽	42쪽 ~ 44쪽

3주차	1일	2일	3일	4일	5일
	46쪽 ~ 49쪽	50쪽 ~ 53쪽	54쪽 ~ 57쪽	58쪽 ~61쪽	62쪽 ~ 64쪽

4주차	1일	2일	3일	4일	5일
	66쪽 ~ 69쪽	70쪽 ~ 73쪽	74쪽 ~ 77쪽	78쪽 ~81쪽	82쪽 ~ 84쪽

정답 및 해설

문제와 답을 한눈에 볼 수 있습니다.

이 책의 차례

1주차

괄호가 없는 혼합 계산

괄호가 없는 혼합 계산 알아보기

덧셈과 뺄셈이 있는 혼합 계산

 개념원리

덧셈과 뺄셈이 섞여 있는 식의 계산을 알아봅시다.

$16+7-9$
$=\boxed{23}-9$
$=\boxed{14}$

덧셈과 뺄셈이 섞여 있는 식은 앞에서부터 차례로 계산합니다.

$42-17+8$
$=42+\boxed{8}-17$
$=\boxed{50}-17$
$=\boxed{33}$

덧셈과 뺄셈이 섞여 있는 식은 부호를 붙여 이동하여 간편하게 계산할 수 있습니다.

$27+6+14$
$=27+\boxed{20}$
$=\boxed{47}$

덧셈만으로 이루어진 식은 순서에 관계 없이 두 수를 더한 다음 나머지 수를 더합니다.

$83-18-12$
$=83-\boxed{30}$
$=\boxed{53}$

빼고 뺄 때에는 한 번에 빼서 간편하게 계산할 수 있습니다.

$28+4-5$
$=\boxed{}-5$
$=\boxed{}$

$36-13+9$
$=36+\boxed{}-13$
$=\boxed{}-13$
$=\boxed{}$

$14+2+28$
$=14+\boxed{}$
$=\boxed{}$

$57-16-14$
$=57-\boxed{}$
$=\boxed{}$

$47-6+8$
$=\boxed{}+8$
$=\boxed{}$

$65-12+5$
$=65+\boxed{}-12$
$=\boxed{}-12$
$=\boxed{}$

$23+4+26$
$=23+\boxed{}$
$=\boxed{}$

$98-33-17$
$=98-\boxed{}$
$=\boxed{}$

$24+8-7$

$53+11-16$

$61-9+29$

$45-18+5$

$28+5+35$

$49+13+7$

$78-14-16$

$36-8-12$

$13+4-6+11$

$23+7-8-2$

$54-27+4+2$

$33-28+17-12$

$40+5+19+21$

$7+15+13+22$

$62-17-11-22$

$44-25-4-11$

1 위의 식과 계산 결과가 같으면 ○표, 틀리면 ✕표 하세요.

38＋29＋7
38＋7＋29 (　　)
29＋38＋7 (　　)
7＋29＋38 (　　)

31－24＋9
31－9＋24 (　　)
31＋9－24 (　　)
24＋9－31 (　　)

86＋14－36
86＋36－14 (　　)
86－36＋14 (　　)
14＋86－36 (　　)

72－14－25
72－25－14 (　　)
72－20－19 (　　)
72－20－29 (　　)

2 약속에 맞게 식을 쓰고 계산하세요.

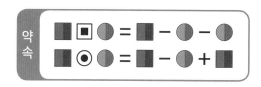

38▣9 = _____

72▣15= _____

17◉8 = _____

24◉16= _____

3 다음을 간단히 계산하세요.

$99 + 98 + 97 + 96 + 1 + 2 + 3 + 4$

$111 - 29 - 28 - 27 - 1 - 2 - 3$

$98 + 97 - 96 + 95 - 94 + 93 - 92 + 91 - 90$

4 다음과 같이 **+** 한 개를 **−** 로 바꾸어 식이 성립하도록 만드세요.

$$1 + 2 + 3 \not{+} 4 + 5 + 6 = 13$$

$$1 + 2 + 3 + 4 + 5 + 6 + 7 + 8 = 30$$

$$1 + 2 + 3 + 4 + 5 + 6 + 7 + 8 = 20$$

5 수미네 집에는 사탕이 **38**개, 초콜릿이 **45**개 있습니다. 그중에서 **54**개를 친구들이 놀러와 먹었습니다. 남은 간식은 몇 개인지 하나의 식으로 나타내어 구하세요.

식 ＿＿＿＿＿＿＿＿＿＿＿＿＿ 답 ＿＿＿＿＿ 개

곱셈과 나눗셈이 있는 혼합 계산

개념
원리

곱셈과 나눗셈이 섞여 있는 식의 계산을 알아봅시다.

$27 \div 9 \times 4$

$= \boxed{3} \times 4$

$= \boxed{12}$

곱셈과 나눗셈이
섞여 있는 식은
앞에서부터
차례로 계산합니다.

$35 \times 4 \div 7$

$= 35 \div \boxed{7} \times 4$

$= \boxed{5} \times 4$

$= \boxed{20}$

곱셈과 나눗셈이 섞여 있는 식은
부호를 붙여 이동하여
간편하게 계산할 수 있습니다.

$12 \times 25 \times 4$

$= 12 \times \boxed{100}$

$= \boxed{1200}$

곱셈만으로 이루어진 식은
순서에 관계없이
두 수를 곱한 다음
나머지 수를 곱합니다.

$48 \div 2 \div 3$

$= 48 \div \boxed{6}$

$= \boxed{8}$

나누고 또 나눌 때에는
한 번에 나누어 간편하게
계산할 수 있습니다.

$33 \div 3 \times 5$

$= \boxed{} \times 5$

$= \boxed{}$

$25 \times 3 \div 5$

$= 25 \div \boxed{} \times 3$

$= \boxed{} \times 3$

$= \boxed{}$

$7 \times 5 \times 20$

$= 7 \times \boxed{}$

$= \boxed{}$

$45 \div 3 \div 5$

$= 45 \div \boxed{}$

$= \boxed{}$

$15 \times 4 \div 2$

$= \boxed{} \div 2$

$= \boxed{}$

$40 \times 6 \div 8$

$= 40 \div \boxed{} \times 6$

$= \boxed{} \times 6$

$= \boxed{}$

$9 \times 4 \times 25$

$= 9 \times \boxed{}$

$= \boxed{}$

$72 \div 8 \div 3$

$= 72 \div \boxed{}$

$= \boxed{}$

$15 \times 2 \div 6$

$21 \times 5 \div 3$

$25 \div 5 \times 4$

$42 \div 7 \times 5$

$17 \times 5 \times 2$

$3 \times 6 \times 5$

$42 \div 3 \div 2$

$72 \div 3 \div 4$

$33 \times 4 \div 11 \times 2$

$24 \times 7 \div 2 \div 6$

$55 \div 5 \times 3 \times 2$

$32 \div 8 \times 18 \div 9$

$3 \times 2 \times 5 \times 4$

$4 \times 5 \times 2 \times 15$

$120 \div 6 \div 5 \div 2$

$420 \div 5 \div 7 \div 2$

1 ○ 안에 >, =, <를 알맞게 넣으세요.

16×15×7 ◯ 7×15×16   28×19×8 ◯ 19×7×28

48×14÷16 ◯ 48÷16×15   42÷7×15 ◯ 42×15÷7

300÷10÷5 ◯ 300÷15   81÷9÷3 ◯ 81÷27

2 수 카드를 한 번씩 모두 사용하여 계산 결과에 맞는 식을 만드세요.

| 1 | 4 | 5 | 2 |

☐☐ × ☐ ÷ ☐ = 15

☐☐ ÷ ☐ × ☐ = 35

| 3 | 2 | 8 | 7 |

☐☐ × ☐ ÷ ☐ = 12

☐☐ × ☐ ÷ ☐ = 27

| 2 | 3 | 4 | 6 |

☐☐ × ☐ ÷ ☐ = 12

☐☐ ÷ ☐ × ☐ = 48

| 9 | 6 | 3 | 7 |

☐☐ × ☐ ÷ ☐ = 28

☐☐ × ☐ ÷ ☐ = 81

3 다음을 간단히 계산하세요.

$5 \times 25 \times 9 \times 2 \times 3 \times 4$

$4800 \div 25 \div 8 \div 4 \div 3 \div 2$

$27 \times 34 \div 9 \times 8 \div 17 \times 5$

4 상자 안의 수 중 알맞은 수를 □ 안에 넣으세요.

9 7 8

$54 \times 6 \div \boxed{} = 36$

12 13 14

$84 \div 6 \div 7 \times \boxed{} = 26$

5 물병이 14병씩 담긴 상자가 9개 있습니다. 한 상자에 7병씩 넣어 다시 포장할 때 모두 몇 개의 상자를 만들 수 있는지 하나의 식으로 나타내어 구하세요.

식 _____   답 _____ 개

괄호가 없는 사칙 혼합 계산 (1)

개념
원리

덧셈, 뺄셈에 곱셈 또는 나눗셈이 섞여 있는 식의 계산을 알아봅시다.

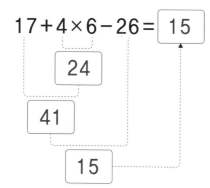

$$17 + 4 \times 6 - 26 = \boxed{15}$$

$$\boxed{24}$$

$$\boxed{41}$$

$$\boxed{15}$$

덧셈, 뺄셈, 곱셈이 섞여 있는 식에서는
곱셈을 먼저 계산합니다.

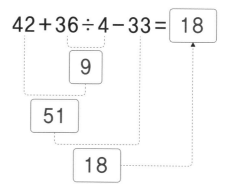

$$42 + 36 \div 4 - 33 = \boxed{18}$$

$$\boxed{9}$$

$$\boxed{51}$$

$$\boxed{18}$$

덧셈, 뺄셈, 나눗셈이 섞여 있는 식에서는
나눗셈을 먼저 계산합니다.

$$15 + 3 \times 9 = \boxed{}$$

$$72 + 5 \times 5 - 28 = \boxed{}$$

$$81 \div 9 - 1 = \boxed{}$$

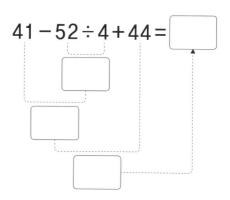

$$41 - 52 \div 4 + 44 = \boxed{}$$

$12 \times 4 + 19$

$97 - 6 \times 13$

$33 + 9 \times 7$

$15 \times 5 - 36$

$96 \div 8 + 7$

$61 - 88 \div 22$

$29 + 76 \div 4$

$98 \div 7 - 6$

$13 \times 6 - 19 - 14$

$23 + 8 \times 12 + 9$

$31 + 46 - 11 \times 3$

$11 + 17 \times 3 - 22$

$76 \div 2 - 11 - 14$

$14 + 84 \div 7 + 8$

$52 + 61 - 27 \div 3$

$29 + 63 \div 7 - 31$

1 글을 읽고 ☐ 안에 알맞은 수를 쓰고 계산하세요.

9와 4의 곱에 10을 더하고 6을 뺍니다.

☐ × ☐ + ☐ − ☐ = ☐

7과 8의 곱에서 21을 빼고 15를 더합니다.

☐ × ☐ − ☐ + ☐ = ☐

14를 2로 나눈 몫을 13에 더하고 17을 뺍니다.

☐ + ☐ ÷ ☐ − ☐ = ☐

2 약속에 맞게 식을 쓰고 계산하세요.

약속

▲ ◑ ★ = ▲ + ★ × ▲ − ★
▲ ◈ ★ = ▲ − ★ ÷ ▲ + ★

7 ◑ 5 =

8 ◈ 24 =

3 ◑ 11 =

5 ◈ 25 =

3 □ 안에 알맞은 수를 쓰세요.

$$\boxed{} \div 5 - 8 = 9 \qquad 70 - 63 \div \boxed{} = 61$$

$$92 - 6 \times \boxed{} = 8 \qquad \boxed{} \times 5 + 5 = 120$$

4 1, 4, 5, 8, 9를 한 번씩 모두 사용하여 계산 결과가 가장 큰 식을 만들고 계산하세요.

$$\boxed{}\,\boxed{} - \boxed{}\,\boxed{} \div \boxed{} = \boxed{}$$

$$\boxed{}\,\boxed{} - \boxed{}\,\boxed{} \times \boxed{} = \boxed{}$$

5 가게에 있는 모자 70개를 놓을 수 있는 선반에 모자가 8개씩 7줄로 놓여 있습니다. 모자 17개가 팔린다면 선반에 더 놓을 수 있는 모자는 모두 몇 개인지 하나의 식으로 나타내어 구하세요.

식 _____   답 _____ 개

괄호가 없는 사칙 혼합 계산 (2)

개념
원리

덧셈, 뺄셈, 곱셈, 나눗셈이 섞여 있는 식의 계산 순서를 알아봅시다.

$$5 \times 4 + 12 \div 6 = \boxed{22}$$
①   ②
③

$$15 + 9 \times 7 \div 3 - 12 = \boxed{24}$$
①
②
③
④

덧셈, 뺄셈, 곱셈, 나눗셈이 섞여 있는 식에서는 곱셈, 나눗셈을 먼저 계산합니다.

$$6 + 14 \div 2 \times 5 = \boxed{}$$
①
②
③

$$4 \times 9 + 5 - 15 \div 3 = \boxed{}$$
①   ②
③
④

$$7 \times 3 - 28 \div 4 = \boxed{}$$
①   ②
③

$$55 - 3 \times 8 + 48 \div 6 = \boxed{}$$
①   ②
③
④

$$32 \div 2 + 6 \times 9 = \boxed{}$$
①   ②
③

$$90 \div 3 \div 5 + 2 \times 8 = \boxed{}$$
①   ③
②
④

$8+12\times4\div3$

$16\div8\times7-5$

$6\times5-24\div8$

$21+27\div9\times6$

$36\div4\times5+11$

$6\times7-33\div3$

$42-8\times8\div4$

$88\div4+5\times9$

$11+6\times7-24\div3$

$17-14\times3\div7+21$

$5\times8+42\div3-23$

$47-5\times6+28\div4$

$29-34\div2+72\div9$

$99\div9+52-84\div7$

$7\times12\div14-72\div24$

$66+6\times13\div2-19$

1 ☐ 안에 알맞은 수를 쓰세요.

$$84 - \boxed{} \div 5 \times 9 = 3$$

$$8 \times 7 \div 4 + \boxed{} = 45$$

$$12 \times 5 - 72 \div \boxed{} = 52$$

$$55 + \boxed{} \times 8 - 32 = 71$$

$$7 + 27 - \boxed{} \div 9 = 25$$

$$\boxed{} \div 9 \times 4 + 7 = 51$$

2 다음과 같이 계산 결과에 맞게 1부터 5까지의 수를 ☐ 안에 한 번씩 써넣으세요.

$$\boxed{5} + \boxed{3} \times \boxed{4} \div \boxed{2} - \boxed{1} = 10$$

$$\boxed{} \times \boxed{} + \boxed{} - \boxed{} \div \boxed{} = 11$$

$$\boxed{} \div \boxed{} + \boxed{} \times \boxed{} - \boxed{} = 7$$

$$\boxed{} + \boxed{} - \boxed{} \times \boxed{} \div \boxed{} = 6$$

$$\boxed{} + \boxed{} \times \boxed{} - \boxed{} \div \boxed{} = 5$$

3 계산 순서에 맞게 기호를 차례로 쓰세요.

$$19 - 7 \times 2 + 25 \div 5$$
$$\quad ㉠ \quad ㉡ \quad ㉢ \quad ㉣$$

_____

4 ☐ 안에 들어갈 수 있는 자연수를 모두 쓰세요.

$$39 + 54 \div 6 - 7 > 8 + \square \times 7$$

_____

$$51 - 72 \div 9 > \square \times 6 + 63 \div 3$$

_____

5 아라 어머니는 마트에 가서 수박 1개, 고기 300 g, 사과 1개를 샀습니다. 다음 가격표를 보고 어머니가 장을 보고 낸 돈은 얼마인지 하나의 식으로 나타내어 구하세요.

식품	가격(원)
수박(1개)	9000원
고기(100 g)	6000원
사과 1상자(12개)	24000원

식 _____   답 _____ 원

1 약속에 맞게 식을 쓰고 계산하세요.

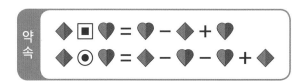

19■27 = _____   63◉25 = _____

2 ＋한 개를 －로 바꾸어 식이 성립하게 만드세요.

$$3 + 4 + 5 + 6 + 7 + 8 + 9 + 10 = 38$$

$$3 + 4 + 5 + 6 + 7 + 8 + 9 + 10 = 34$$

3 수 카드를 한 번씩 모두 사용하여 계산 결과에 맞는 식을 만드세요.

| 3 | 6 | 4 | 2 |

□□ × □ ÷ □ = 18

□□ × □ ÷ □ = 21

| 1 | 2 | 4 | 8 |

□□ × □ ÷ □ = 7

□□ × □ ÷ □ = 56

4 상자 안의 수 중 알맞은 수를 ☐ 안에 넣으세요.

$$30 \times 7 \div \boxed{} = 14$$

$$84 \div 6 \div \boxed{} \times 5 = 35$$

5 글을 읽고 ☐ 안에 알맞은 수를 쓰고 계산하세요.

8과 5의 곱에 17을 더하고 13을 뺍니다.

$$\boxed{} \times \boxed{} + \boxed{} - \boxed{} = \boxed{}$$

98을 7로 나눈 값을 38에 더하고 26을 뺍니다.

$$\boxed{} + \boxed{} \div \boxed{} - \boxed{} = \boxed{}$$

6 ☐ 안에 알맞은 수를 쓰세요.

$$\boxed{} \div 6 + 19 = 32$$

$$4 \times \boxed{} - 15 = 37$$

$$23 + 7 \times \boxed{} = 107$$

$$\boxed{} - 105 \div 15 = 85$$

7 1, 2, 3, 5, 6을 한 번씩 모두 사용하여 계산 결과가 가장 작은 식을 만들고 계산하세요.

8 계산 순서에 맞게 기호를 차례로 쓰세요.

$$29 \underset{\textcircled{\scriptsize ㄱ}}{-} 13 \underset{\textcircled{\scriptsize ㄴ}}{+} 3 \underset{\textcircled{\scriptsize ㄷ}}{\times} 18 \underset{\textcircled{\scriptsize ㄹ}}{\div} 9$$

9 과일의 무게가 다음과 같을 때, 바구니에 담긴 과일(참외 1개, 딸기 3봉지, 배 1개)의 무게를 하나의
식으로 나타내어 구하세요.

과일	무게(g)
참외(1개)	250 g
딸기(1봉지)	360 g
배 묶음(3개)	540 g

식 _____   답 _____ g

괄호가 있는 혼합 계산

괄호가 있는 혼합 계산 알아보기

( )가 있는 혼합 계산 (1)

개념
원리

( )가 있는 식의 계산을 알아봅시다.

$$100-(35+25)=100-\boxed{60}=\boxed{40}$$

① ②

덧셈, 뺄셈과 ( )가 있는 식에서는 ( ) 안을 먼저 계산합니다.

$$72\div(3\times2)=72\div\boxed{6}=\boxed{12}$$

① ②

곱셈, 나눗셈과 ( )가 있는 식에서는 ( ) 안을 먼저 계산합니다.

$$32+(26-6)=32+\boxed{}$$
$$=\boxed{}$$

$$7\times(81\div9)=7\times\boxed{}$$
$$=\boxed{}$$

$$39-(13+17)=39-\boxed{}$$
$$=\boxed{}$$

$$27\div(3\times3)=27\div\boxed{}$$
$$=\boxed{}$$

$$78-(94-34)=78-\boxed{}$$
$$=\boxed{}$$

$$42\div(14\div2)=42\div\boxed{}$$
$$=\boxed{}$$

$16+(37+23)$

$37+(45-5)$

$53-(25+17)$

$33-(16-7)$

$41+18-(22+6)$

$25+17-(47-27)$

$5-(15-13)+8$

$49-(14+16)-9$

$90 \div (5 \times 9)$

$80 \div (5 \times 4)$

$72 \div (64 \div 8)$

$24 \div (9 \div 3)$

$3 \times 14 \div (63 \div 9)$

$18 \div 2 \times (54 \div 6)$

$2 \times (36 \div 4) \times 5$

$12 \times (20 \div 5) \div 3$

1 관계있는 것끼리 선으로 이으세요.

50에서 16과 7의 차를 뺍니다. ∘   ∘ 50+(16+7)

50에 16과 7의 차를 더합니다. ∘   ∘ 50+(16−7)

50에서 16과 7의 합을 뺍니다. ∘   ∘ 50−(16+7)

50에 16과 7의 합을 더합니다. ∘   ∘ 50−(16−7)

2 계산 결과가 큰 것부터 차례로 기호를 쓰세요.

$\textcircled{\footnotesize ㉠} 27 \times (9 \times 3)$ $\textcircled{\footnotesize ㉡} 27 \times (9 \div 3)$
$\textcircled{\footnotesize ㉢} 27 \div (9 \times 3)$ $\textcircled{\footnotesize ㉣} 27 \div (9 \div 3)$

3 ◯ 안에 >, =, <를 알맞게 넣으세요.

$52 + (15 - 12) \bigcirc 52 + (15 + 12)$

$36 - (24 - 6) \bigcirc 36 - (24 + 6)$

$8 \times (15 \times 5) \bigcirc 8 \times (15 \div 5)$

$64 \div (8 \times 2) \bigcirc 64 \div (8 \div 2)$

4 ☐ 안에 알맞은 수를 쓰세요.

$35 - (9 + \boxed{}) = 15$

$40 - (24 - \boxed{}) = 36$

$36 - (\boxed{} + 3) - 5 = 16$

$29 - (\boxed{} - 7) + 6 = 17$

$72 \div (9 \times \boxed{}) = 2$

$64 \div (32 \div \boxed{}) = 8$

$18 \div (\boxed{} \times 3) \times 7 = 21$

$24 \div (\boxed{} \div 5) \div 6 = 2$

5 승호는 420원짜리 자 1개와 510원짜리 지우개 1개를 사고 1000원을 냈습니다. 승호가 받아야 할 거스름돈은 얼마인지 ( )를 사용한 하나의 식으로 나타내어 구하세요.

식 _____ 답 _____ 원

6 승희네 반 학생들은 6명씩 5 모둠입니다. 색종이 90장을 승희네 반 학생들에게 똑같이 나누어 주려고 합니다. 한 사람에게 몇 장씩 나누어 주면 되는지 ( )를 사용한 하나의 식으로 나타내어 구하세요.

식 _____ 답 _____ 장

괄호 없애기

개념
원리

( )를 생략하여 계산하여 봅시다.

$\begin{cases} 13+(7+9)= \boxed{29} \\ 13+7+9= \boxed{29} \end{cases}$

$\begin{cases} 35-(15-7)= \boxed{27} \\ 35-15+7= \boxed{27} \end{cases}$

$\begin{cases} 23+(12-5)= \boxed{30} \\ 23+12-5= \boxed{30} \end{cases}$

$\begin{cases} 41-(12+8)= \boxed{21} \\ 41-12-8= \boxed{21} \end{cases}$

$\begin{cases} 4\times(5\times3)= \boxed{60} \\ 4\times5\times3= \boxed{60} \end{cases}$

$\begin{cases} 30\div(15\div3)= \boxed{6} \\ 30\div15\times3= \boxed{6} \end{cases}$

$\begin{cases} 7\times(8\div2)= \boxed{28} \\ 7\times8\div2= \boxed{28} \end{cases}$

$\begin{cases} 42\div(7\times2)= \boxed{3} \\ 42\div7\div2= \boxed{3} \end{cases}$

덧셈과 곱셈 뒤에 있는 괄호는
생략해도 계산 결과는 같습니다.

뺄셈과 나눗셈 뒤에 있는 괄호를 생략하면
+는 −, −는 +, ×는 ÷, ÷는 ×로 바뀝니다.

$\begin{cases} 16-(8-3)= \boxed{} \\ 16-8+3= \boxed{} \end{cases}$

$\begin{cases} 30-(13+11)= \boxed{} \\ 30-13-11= \boxed{} \end{cases}$

$\begin{cases} 24\div(12\div3)= \boxed{} \\ 24\div12\times3= \boxed{} \end{cases}$

$\begin{cases} 40\div(4\times5)= \boxed{} \\ 40\div4\div5= \boxed{} \end{cases}$

$36+(14+17)=36\bigcirc14\bigcirc17=\boxed{}$

○안에 +, −, ×, ÷를 넣고
계산하세요.

$25+(15-8)=25\bigcirc15\bigcirc8=\boxed{}$

$19-(5+7)=19\bigcirc5\bigcirc7=\boxed{}$

$21-(13-6)=21\bigcirc13\bigcirc6=\boxed{}$

$3\times(5\times4)=3\bigcirc5\bigcirc4=\boxed{}$

$45\div(5\times3)=45\bigcirc5\bigcirc3=\boxed{}$

$53-(42-27)=53\bigcirc42\bigcirc27=\boxed{}$

$64\div(4\times4)=64\bigcirc4\bigcirc4=\boxed{}$

1 계산 결과가 같은 것끼리 선으로 이으세요.

24＋(15－8)	24－15＋8
24－(15＋8)	24＋15－8
24－(15－8)	24－15－8
24＋(15＋8)	24＋15＋8

90×(15÷3)	90×15×3
90÷(15×3)	90×15÷3
90÷(15÷3)	90÷15×3
90×(15×3)	90÷15÷3

2 계산 결과가 같도록 ◯ 안에 ＋, －, ×, ÷를 넣고 계산하세요.

$52 - 15 - 25 = 52 \bigcirc (15 \bigcirc 25) = \boxed{}$

$64 - 27 + 17 = 64 \bigcirc (27 \bigcirc 17) = \boxed{}$

$60 \div 5 \div 4 = 60 \bigcirc (5 \bigcirc 4) = \boxed{}$

$72 \div 12 \times 4 = 72 \bigcirc (12 \bigcirc 4) = \boxed{}$

3 ( )를 생략해도 계산 결과가 같은 식의 기호를 모두 쓰세요.

> ㉠ 15+(6+2)　　㉡ 15+(6−2)
> ㉢ 18−(12+7)　　㉣ 18−(12−7)
> ㉤ 3×(15×3)　　㉥ 3×(15÷3)
> ㉦ 36÷(12×3)　　㉧ 36÷(12÷3)

_____

4 식을 계산하고 ( )가 없을 때와 계산 결과가 같은 식에 모두 ○표 하세요.

$30-12+9-7=20$

$30-(12+9)-7=$ ☐

$30-12+(9-7)=$ ☐

$30-(12+9-7)=$ ☐

$90÷5×6÷3=36$

$90÷(5×6)÷3=$ ☐

$90÷5×(6÷3)=$ ☐

$90÷(5×6÷3)=$ ☐

$30+15-8+4=41$

$30+(15-8)+4=$ ☐

$30+15-(8+4)=$ ☐

$30+(15-8+4)=$ ☐

$5×24÷4÷2=15$

$5×(24÷4)÷2=$ ☐

$5×24÷(4÷2)=$ ☐

$5×(24÷4÷2)=$ ☐

(　　)가 있는 혼합 계산 (2)

개념
원리

덧셈, 뺄셈, 곱셈, 나눗셈, (　　)가 섞여 있는 식의 계산을 알아봅시다.

$$3+24\div8\times(10-5)=\boxed{18}$$
②　①　③　④

$$2\times(12-6)+15\div3=\boxed{17}$$
①　③　②　④

(　　) 안을 가장 먼저 계산하고, 곱셈과 나눗셈 계산을 한 후에 마지막으로 덧셈과 뺄셈을 계산합니다.

$$54\div3+5\times(7-3)=\boxed{}$$
②　①　③　④

$$2\times(16-7)+28\div4=\boxed{}$$
①　③　②　④

$$29+10\times(10-4)\div5=\boxed{}$$
①　②　③　④

$$(17-8)\div3+6\times8=\boxed{}$$
①　③　②　④

$$60\div5-(24-12)\div2=\boxed{}$$
②　①　③　④

$$4\times(15-9)\div8+7=\boxed{}$$
①　②　③　④

$3 \times (15+6)$

$2 \times (37-7)$

$30 \div (6+4)$

$78 \div (9-7)$

$57-7 \times (15 \div 5)$

$33+16 \div (17-9)$

$5 \times (42-36)+8$

$63 \div (4+3)-6$

$60-2 \times (21 \div 7)+5$

$15+15 \times 4 \div (35-15)$

$4 \times (25-18)+16 \div 4$

$40 \div (4+1)-2 \times 3$

$30 \div 5+(24-4) \times 2$

$3 \times (18-12)+25 \div 5$

$51-(6 \times 4) \div (19-11)$

$(13+15) \times 3 \div (19-12)$

1 수 카드를 한 번씩 모두 사용하여 계산 결과에 맞는 식을 만드세요.

| 2 | 3 | 5 | 8 |

$$\square + \square \times (\square - \square) = 33$$

$$\square \times \square \div (\square - \square) = 8$$

| 8 | 4 | 1 | 3 |

$$\square - \square \div (\square + \square) = 7$$

$$\square \times \square \div (\square - \square) = 16$$

| 5 | 7 | 2 | 9 |

$$\square \div (\square - \square) \times \square = 5$$

$$\square \times \square - (\square + \square) = 36$$

| 7 | 3 | 6 | 8 |

$$\square \times (\square - \square) + \square = 17$$

$$(\square + \square) \times \square \div \square = 6$$

2 약속에 맞게 식을 쓰고 계산하세요.

약속
$$\spadesuit \ \circledcirc \ \clubsuit = (\spadesuit - \clubsuit) \times (\spadesuit + \clubsuit)$$
$$\spadesuit \ \blacklozenge \ \clubsuit = (\spadesuit + \clubsuit) \div (\spadesuit - \clubsuit)$$

$$11 \circledcirc 9 = \underline{\hspace{4cm}}$$

$$20 \blacklozenge 15 = \underline{\hspace{4cm}}$$

$$9 \circledcirc 2 = \underline{\hspace{4cm}}$$

$$12 \blacklozenge 4 = \underline{\hspace{4cm}}$$

3 다음과 같이 ☐ 안에 알맞은 수를 넣고, (   )가 있는 하나의 식으로 나타내세요.

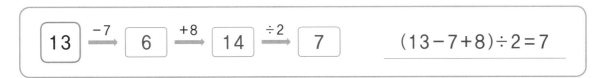

$$(13-7+8) \div 2 = 7$$

4 지수네 반 학생 38명 중 8명씩 4 모둠은 피구를 하고, 남은 학생의 반은 응원을 합니다. 응원하는 학생은 모두 몇 명인지 (   )를 사용한 하나의 식으로 나타내어 구하세요.

식 _____   답 _____ 명

5 민수의 나이는 20살이고, 동생은 민수보다 7살 어립니다. 아버지의 나이는 동생 나이의 4배보다 3살 더 많습니다. 아버지의 나이는 몇 살인지 (   )를 사용한 하나의 식으로 나타내어 구하세요.

식 _____   답 _____ 살

{ }가 있는 혼합 계산

{ }가 있는 식의 계산을 알아봅시다.

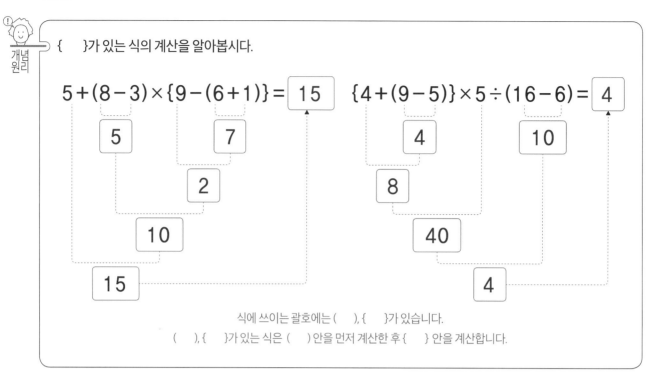

$$5+(8-3)\times\{9-(6+1)\}=\boxed{15}$$

5
7
2
10
15

$$\{4+(9-5)\}\times5\div(16-6)=\boxed{4}$$

4
10
8
40
4

식에 쓰이는 괄호에는 ( ), { }가 있습니다.
( ), { }가 있는 식은 ( )안을 먼저 계산한 후 { } 안을 계산합니다.

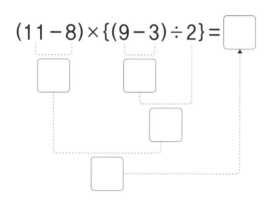

$$(11-8)\times\{(9-3)\div2\}=\boxed{}$$

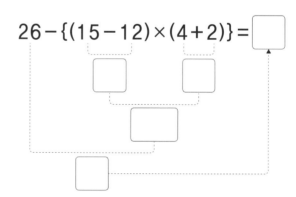

$$26-\{(15-12)\times(4+2)\}=\boxed{}$$

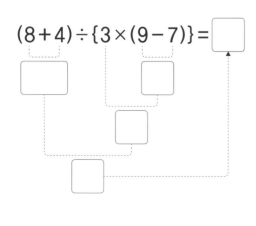

$$(8+4)\div\{3\times(9-7)\}=\boxed{}$$

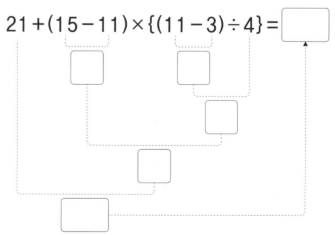

$$21+(15-11)\times\{(11-3)\div4\}=\boxed{}$$

$9+5\times\{11-(3+5)\}$

$=9+5\times(11-\boxed{})$

$=9+5\times\boxed{}$

$=9+\boxed{}=\boxed{}$

$11+6\times\{(18-2)\div4\}$

$=11+6\times(\boxed{}\div4)$

$=11+6\times\boxed{}$

$=11+\boxed{}=\boxed{}$

$\{(19-7)\div3+5\}\times3-11$

$=(\boxed{}\div3+5)\times3-11$

$=(\boxed{}+5)\times3-11$

$=\boxed{}\times3-11$

$=\boxed{}-11=\boxed{}$

$14+6\times\{7+(21-12)\div3\}$

$=14+6\times(7+\boxed{}\div3)$

$=14+6\times(7+\boxed{})$

$=14+6\times\boxed{}$

$=14+\boxed{}=\boxed{}$

$33-\{(18-16)\times(2+4)\}$

$=33-\{\boxed{}\times(2+4)\}$

$=33-(2\times\boxed{})$

$=33-\boxed{}=\boxed{}$

$\{7+(12-3)\}\times2\div4+24$

$=(7+\boxed{})\times2\div4+24$

$=\boxed{}\times2\div4+24$

$=\boxed{}\div4+24$

$=\boxed{}+24=\boxed{}$

1 다음을 계산하세요.

$(52-38) \div 2 \times \{36-(16-5)-10\} \div 5$

$61-49 \div 7-\{7 \times 6 \div 3-(8-6) \times 4\}$

$(12+18) \times 3 \div \{29-(6+3)+25\} \times 7$

$81 \div 3-14-\{18 \div 9 \times 2+(9-7) \times 3\}$

2 계산 순서에 맞게 기호를 차례로 쓰세요.

$$30 \underset{\textstyle ㉠}{+} \{(7 \underset{\textstyle ㉡}{-} 4) \underset{\textstyle ㉢}{+} 10 \underset{\textstyle ㉣}{\div} 5\} \underset{\textstyle ㉤}{\times} 2$$

_____

$$(6 \underset{\textstyle ㉠}{-} 4) \underset{\textstyle ㉡}{\div} 2 \underset{\textstyle ㉢}{\times} \{13 \underset{\textstyle ㉣}{-} (6 \underset{\textstyle ㉤}{+} 4)\} \underset{\textstyle ㉥}{+} 8$$

_____

$$4 \underset{\textstyle ㉠}{+} (9 \underset{\textstyle ㉡}{-} 2) \underset{\textstyle ㉢}{-} \{30 \underset{\textstyle ㉣}{\div} (5 \underset{\textstyle ㉤}{+} 5)\} \underset{\textstyle ㉥}{\times} 2$$

_____

3 계산 결과를 비교하여 ○ 안에 **>**, **=**, **<**를 알맞게 넣으세요.

$$72 \div \{(9-6) \times 4 \div 2\} \quad \bigcirc \quad 72 \div \{(9-6) \times 4\} \div 2$$

$$68 - (2+5) \times 4 + 9 \quad \bigcirc \quad 68 - \{(2+5) \times 4 + 9\}$$

$$16 - \{(4+3) \times 2 - 6\} \quad \bigcirc \quad \{16 - (4+3)\} \times 2 - 6$$

4 알맞은 식을 고르고 답을 구하세요.

연필이 32자루 있습니다. 여학생 3명과 남학생 4명으로 이루어진 모둠에 한 사람이 연필 한 자루씩 갖도록 모두 3 모둠에 주고, 선생님께서 연필 두 자루를 가진다면 남는 연필은 몇 자루 일까요?

① $32 - (3+4) \times 3 + 2$ ② $32 - \{(3+4) \times 3 + 2\}$
③ $32 - \{(3+4) \times 3 - 2\}$ ④ $32 + \{(3+4) \times 3\} + 2$

_____ , _____ 자루

차를 50대 주차할 수 있는 주차장이 있습니다. 한 줄당 승용차 5대와 트럭 2대가 총 5줄로 주차되어 있습니다. 주차장에서 6대가 나간다면, 더 주차할 수 있는 차는 몇 대일까요?

① $50 - \{(5+2) \times 5 + 6\}$ ② $50 + \{(5+2) \times 5 - 6\}$
③ $50 - (5+2) \times 5 - 6$ ④ $\{50 - (5+2) \times 5\} + 6$

_____ , _____ 대

1 관계있는 것끼리 선으로 이으세요.

39에 11과 6의 차를 더합니다. ∘	∘ $39+(11+6)$
39에서 11과 6의 합을 뺍니다. ∘	∘ $39+(11-6)$
39에 11과 6의 합을 더합니다. ∘	∘ $39-(11-6)$
39에서 11과 6의 차를 뺍니다. ∘	∘ $39-(11+6)$

2 ☐ 안에 알맞은 수를 쓰세요.

$39-(7+\boxed{})=19$ $37-(31-\boxed{})=22$

$28-(\boxed{}+6)-2=8$ $41-(\boxed{}-27)+13=48$

3 계산 결과가 같도록 ◯ 안에 +, −, ×, ÷를 넣고 계산하세요.

$28-26+17=28\bigcirc(26\bigcirc17)=\boxed{}$

$72\div6\div3=72\bigcirc(6\bigcirc3)=\boxed{}$

$40\div8\times4=40\bigcirc(8\bigcirc4)=\boxed{}$

4 다음 중 ( )를 생략해도 계산 결과가 같은 식의 기호를 모두 쓰세요.

> ㉠ $18+(6+2)$　　　　㉡ $(5-2)\times4+5$
> ㉢ $15+(11-5)\times2$　㉣ $18-(12-7)$
> ㉤ $11\times(15\div5)-2$　㉥ $3\times2\times(15\div3)$
> ㉦ $25-5\times(9\div3)$　㉧ $42\div(8\div4)\div7$

_____

5 수 카드를 한 번씩 모두 사용하여 계산 결과에 맞는 식을 만드세요.

| 9 | 6 | 7 | 2 |

$\square + \square \times (\square - \square) = 37$

$\square \times \square \div (\square - \square) = 6$

| 8 | 3 | 1 | 5 |

$\square - \square \div (\square + \square) = 3$

$\square \times \square \div (\square - \square) = 6$

6 □ 안에 알맞은 수를 넣고, ( )가 있는 하나의 식으로 나타내세요.

$6 \xrightarrow{\times3} \square \xrightarrow{+3} \square \xrightarrow{\div7} \square$ _____

$2 \xrightarrow{+7} \square \xrightarrow{-5} \square \xrightarrow{\times8} \square$ _____

7 계산 결과를 비교하여 ○ 안에 >, =, <를 알맞게 넣으세요.

$$\{(15-7)\times2+5\}\div3 \bigcirc (15-7\times2+5)\div3$$

$$\{(1+6)\times(4-2)\}\times3 \bigcirc (1+6\times4-2)\times3$$

8 현지의 나이는 16살이고 오빠는 현지보다 3살 더 많습니다. 어머니는 오빠 나이의 2배보다 7살 더 많습니다. 어머니의 나이는 몇 살인지 ( )를 사용한 하나의 식으로 나타내어 구하세요.

식 _____ 답 _____ 살

9 알맞은 식을 고르고 답을 구하세요.

빨간색 구슬이 4개, 파란색 구슬이 2개씩 들어있는 주머니가 5개 있습니다. 초록색 구슬 9개를 더하여 친구 3명이 구슬을 똑같은 개수씩 나누어 가진다면 한 명이 갖는 구슬은 몇 개일까요?

① $\{(4+2)+5\times9\}\div3$ ② $\{(4+2)\times5\div3\}+9$

③ $(4+2)\times5+9\div3$ ④ $\{(4+2)\times5+9\}\div3$

_____ , _____ 개

3주차

혼합 계산식 완성하기

계산 순서를 생각하여 □ 안의 수 알아보기

□가 있는 혼합 계산

개념
원리

색칠된 부분의 값을 밑줄 아래 쓰고 □ 안에 알맞은 수를 넣어 봅시다.

$$6 \times \boxed{7} - 8 = 34$$
$$\underline{\quad 42 \quad}$$

$6 \times \square$ 를 　　 라 하면
　　 $-8 = 34$이므로 　　 $= 42$입니다.
따라서 $6 \times \boxed{7} = 42$입니다.

$$6 \times (\boxed{13} - 5) = 48$$
$$\underline{\quad 8 \quad}$$

$(\square - 5)$를 　　 라 하면
$6 \times$ 　　 $= 48$이므로 　　 $= 8$입니다.
따라서 $\boxed{13} - 5 = 8$입니다.

$$15 + 3 \times \boxed{} = 27$$

$$(\boxed{} + 15) \div 5 = 7$$

$$5 \times \boxed{} - 8 = 22$$

$$7 \times (9 - \boxed{}) = 49$$

$$7 \times \boxed{} + 6 = 34$$

$$(\boxed{} - 5) \times 9 = 54$$

$$33 - \boxed{} \times 5 = 18$$

$$4 \times (2 + \boxed{}) = 44$$

$8 \times \boxed{} + 5 = 29$

$36 \div (12 - \boxed{}) = 4$

$\boxed{} \times 9 - 6 = 57$

$(45 - \boxed{}) \div 5 = 8$

$32 \div \boxed{} + 9 = 17$

$55 \div (\boxed{} - 7) = 5$

$16 + \boxed{} \div 5 = 20$

$7 \times (4 + \boxed{}) = 49$

$\boxed{} \div 8 + 6 = 11$

$(\boxed{} - 17) \div 3 = 9$

$\boxed{} \times 8 - 12 = 44$

$48 \div (1 + \boxed{}) = 12$

$5 + \boxed{} \times 4 = 41$

$(4 + \boxed{}) \times 6 = 48$

$31 - 32 \div \boxed{} = 27$

$64 \div (\boxed{} - 5) = 16$

1 □ 안의 수가 같은 것끼리 선으로 이으세요.

$24 - \boxed{} \div 2 = 20$

$9 + \boxed{} \times 5 = 34$

$\boxed{} \times 5 - 24 = 6$

$63 \div 9 + \boxed{} = 14$

$6 \times (15 - \boxed{}) = 48$

$(24 + \boxed{}) \div 6 = 5$

$70 \div (12 - \boxed{}) = 10$

$(\boxed{} - 2) \times 4 = 24$

2 □ 안에 알맞은 수를 써넣으세요.

$17 - 8 \times \boxed{} \div 6 = 5$

$45 \div (4 + \boxed{}) \times 3 = 27$

$6 \times \boxed{} - 16 \div 4 = 32$

$\boxed{} \times 9 - (38 + 21) = 13$

$7 \times 8 \div (\boxed{} + 7) = 4$

$(5 + \boxed{}) \times 4 - 13 = 19$

$11 + 8 \times \boxed{} \div 10 = 15$

$(17 + 13) \div \boxed{} \times 3 = 45$

3 ☐ 안에 알맞은 수를 써넣으세요.

$$(7 + 3 \times \boxed{}) \div 2 = 24 - (3 \times 3 + 4)$$

$$91 \div 7 - \{ (\boxed{} \times 6 - 10) - 5 \} = 4$$

$$\{ 64 \div (3 + \boxed{}) \} \times 7 = 14 \times (21 - 17)$$

4 ☐ 안에 알맞은 자연수를 모두 쓰세요. (단, 식의 계산 결과는 자연수입니다.)

$$39 + 54 \div 6 - 7 > 8 + \boxed{} \times 7$$

$$90 \div (3 + 2 \times \boxed{}) > 9 \times 5 - 38$$

5 종호는 공깃돌이 10개씩 들어있는 상자를 몇 개 사서 동생과 똑같이 나누어 가졌습니다. 종호가 공깃돌 3개를 잃어버려서 종호에게 남은 공깃돌이 12개라면, 공깃돌을 몇 상자 산 것인지 ☐를 사용한 하나의 식으로 나타내어 구하세요.

식 _____   답 _____ 상자

연산자 넣기

 계산 결과에 맞게 ◯ 안에 주어진 연산 기호를 넣어 봅시다.

$$8 \,(+)\, 3 \,(×)\, 2 = 14$$

$$60 \,(÷)\, (9 \,(+)\, 3) = 5$$

계산 순서를 생각하여 ◯ 안에 알맞은 연산 기호를 넣습니다.

$$12 \bigcirc 2 \bigcirc 5 = 2$$

$$5 \bigcirc (4 \bigcirc 3) = 35$$

$$5 \bigcirc 4 \bigcirc 6 = 14$$

$$36 \bigcirc (7 \bigcirc 2) = 4$$

$$13 \bigcirc 4 \bigcirc 2 = 15$$

$$2 \bigcirc (8 \bigcirc 5) = 6$$

$$8 \bigcirc 2 \bigcirc 1 = 3$$

$$60 \bigcirc (1 \bigcirc 4) = 12$$

8 ◯ 3 ◯ 2 = 14

24 ◯ 8 ◯ 7 = 10

식이 성립하도록
◯ 안에 +, −, ×, ÷ 를 넣으세요.

17 ◯ 3 ◯ 4 = 5

12 ◯ (9 ◯ 3) = 2

48 ◯ 6 ◯ 7 = 1

8 ◯ (5 ◯ 1) = 32

5 ◯ 8 ◯ 9 = 49

(3 ◯ 6) ◯ 3 = 3

37 ◯ 6 ◯ 2 = 25

(38 ◯ 17) ◯ 7 = 3

16 ◯ 12 ◯ 3 = 12

5 ◯ (9 ◯ 2) = 55

8 ◯ 16 ◯ 4 = 12

(14 ◯ 2) ◯ 3 = 4

1 다음과 같이 계산 결과에 맞게 ◯ 안에 **＋**, **－** 를 넣으세요. 여러 가지 방법이 있습니다.

$$5 (-) 4 (+) 3 (-) 2 (-) 1 = 1$$

$$5 ◯ 4 ◯ 3 ◯ 2 ◯ 1 = 3$$

$$5 ◯ 4 ◯ 3 ◯ 2 ◯ 1 = 5$$

$$5 ◯ 4 ◯ 3 ◯ 2 ◯ 1 = 7$$

$$5 ◯ 4 ◯ 3 ◯ 2 ◯ 1 = 9$$

2 계산 결과에 맞게 ◯ 안에 주어진 연산 기호를 넣으세요.

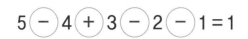

$$3 ◯ (5 ◯ 4) ◯ 7 = 20$$

$$(2 ◯ 6) ◯ 8 ◯ 4 = 16$$

$$4 ◯ 12 ◯ (8 ◯ 2) = 6$$

3　계산 결과에 맞게 ◯ 안에 **+**, **−**, **×**, **÷** 를 한 번씩 넣으세요.

$$21 \bigcirc 4 \bigcirc (4 \bigcirc 3) \bigcirc 2 = 7$$

$$5 \bigcirc (5 \bigcirc 4) \bigcirc 3 \bigcirc 9 = 6$$

$$(7 \bigcirc 1) \bigcirc 2 \bigcirc 6 \bigcirc 3 = 21$$

$$19 \bigcirc 6 \bigcirc (2 \bigcirc 4) \bigcirc 2 = 17$$

$$(7 \bigcirc 6) \bigcirc 9 \bigcirc 4 \bigcirc 4 = 10$$

4　◯ 안에 **+**, **−**, **×**, **÷** 를 한 번씩 넣어 계산한 값이 자연수가 되는 것 중 가장 큰 값을 구하세요.

$$5 \bigcirc 4 \bigcirc 3 \bigcirc 2 \bigcirc 1 = \boxed{}$$

$$(5 \bigcirc 4) \bigcirc 3 \bigcirc 2 \bigcirc 1 = \boxed{}$$

$$5 \bigcirc 4 \bigcirc (3 \bigcirc 2) \bigcirc 1 = \boxed{}$$

괄호 넣기

 여러 가지 방법으로 (   )를 넣고 계산 결과를 비교하여 봅시다.

$36 - 24 \div 6 + 2 = \boxed{34}$

$(36 - 24) \div 6 + 2 = \boxed{4}$

$36 - 24 \div (6 + 2) = \boxed{33}$

$36 - (24 \div 6 + 2) = \boxed{30}$

$3 \times 5 - 4 + 2 = \boxed{13}$

$3 \times (5 - 4) + 2 = \boxed{5}$

$3 \times 5 - (4 + 2) = \boxed{9}$

$3 \times (5 - 4 + 2) = \boxed{9}$

$40 - 32 \div 4 + 4 = \boxed{}$

$(40 - 32) \div 4 + 4 = \boxed{}$

$40 - 32 \div (4 + 4) = \boxed{}$

$40 - (32 \div 4 + 4) = \boxed{}$

$6 \times 7 - 5 + 3 = \boxed{}$

$6 \times (7 - 5) + 3 = \boxed{}$

$6 \times 7 - (5 + 3) = \boxed{}$

$6 \times (7 - 5 + 3) = \boxed{}$

$35 - 30 \div 5 + 1 = \boxed{}$

$(35 - 30) \div 5 + 1 = \boxed{}$

$35 - 30 \div (5 + 1) = \boxed{}$

$35 - (30 \div 5 + 1) = \boxed{}$

$11 \times 6 - 5 + 2 = \boxed{}$

$11 \times (6 - 5) + 2 = \boxed{}$

$11 \times 6 - (5 + 2) = \boxed{}$

$11 \times (6 - 5 + 2) = \boxed{}$

$50 - 6 \times (2 + 4) = 14$

계산 결과에 맞게
( )하나를 넣으세요.

$77 \div 5 - 4 + 6 = 11$

$24 + 12 \div 6 - 2 = 4$

$3 \times 18 - 6 \div 3 = 48$

$24 \div 6 \times 4 + 8 \div 4 = 12$

$8 - 3 + 5 \times 3 \div 5 = 6$

$105 \div 7 - 3 + 4 \times 2 = 1$

$5 + 3 \times 2 + 1 \div 2 = 6$

1 식을 계산하고, 계산 결과가 큰 것부터 차례로 1, 2, 3을 쓰세요.

$32 \div (8 \div 4) \div 2 =$ ☐ (　　)

$32 \div 8 \div (4 \div 2) =$ ☐ (　　)

$32 \div (8 \div 4 \div 2) =$ ☐ (　　)

$27 - (6 \div 3) + 2 =$ ☐ (　　)

$27 - (6 \div 3 + 2) =$ ☐ (　　)

$(27 - 6) \div 3 + 2 =$ ☐ (　　)

2 계산 결과에 맞게 (　)를 넣으세요.

$10 + 30 \div 5 - 2 + 3 = 9$
$10 + 30 \div 5 - 2 + 3 = 23$
$10 + 30 \div 5 - 2 + 3 = 15$

$6 \times 15 - 12 \div 3 + 1 = 7$
$6 \times 15 - 12 \div 3 + 1 = 85$
$6 \times 15 - 12 \div 3 + 1 = 67$

3 다음과 같이 계산 결과가 가장 큰 값이 나오도록 (   )를 한 번 넣고 계산하세요.

$$7 \times (5 + 3) - 2 = \boxed{54}$$

$$128 \div 16 \div 8 \div 2 = \boxed{}$$

$$3 \times 7 + 4 \times 2 = \boxed{}$$

4 계산 결과가 가장 작은 값이 나오도록 (   )를 한 번 넣고 계산하세요.

$$92 - 9 + 5 \times 6 = \boxed{}$$

$$5 \times 9 - 6 \div 3 = \boxed{}$$

$$64 - 8 \div 4 - 4 = \boxed{}$$

5 다음 식에 여러 가지 방법으로 괄호를 한 번 넣어 계산하였습니다. 계산 결과가 가장 큰 것과 가장 작은 것의 차는 얼마일까요?

$$6 + 6 \div 3 \times 2 - 1$$

수 카드

개념
원리

여러 가지 방법으로 카드의 수를 사용하여 만든 식의 계산 결과를 비교하여 봅시다.

4	6	8	2

$6+8\div(4-2)=\boxed{10}$

$4+2\div(8-6)=\boxed{5}$

$8+4\div(6-2)=\boxed{9}$

$2+8\div(6-4)=\boxed{6}$

13	3	4	5

$4\times(13+5)\div3=\boxed{24}$

$5\times(13+3)\div4=\boxed{20}$

$13\times(4+5)\div3=\boxed{39}$

$13\times(3+5)\div4=\boxed{26}$

6	3	9	12

$6+3\div(12-9)=\boxed{}$

$12+6\div(9-3)=\boxed{}$

$12+9\div(6-3)=\boxed{}$

$3+12\div(9-6)=\boxed{}$

$9+12\times(6-3)=\boxed{}$

6	2	12	4

$6\times(12+4)\div2=\boxed{}$

$12\times(2+6)\div4=\boxed{}$

$4\times(12+6)\div2=\boxed{}$

$12\times(2+4)\div6=\boxed{}$

$6+(12-4)\times2=\boxed{}$

| 5 | 6 | 7 | 9 |

$\boxed{} \times (\boxed{} - \boxed{}) + \boxed{} = 21$

| 12 | 3 | 2 | 8 |

$(\boxed{} - \boxed{}) \times \boxed{} - \boxed{} = 10$

| 7 | 6 | 5 | 3 |

$\boxed{} \times (\boxed{} - \boxed{}) + \boxed{} = 15$

| 6 | 4 | 11 | 9 |

$\boxed{} + \boxed{} \times (\boxed{} - \boxed{}) = 49$

| 4 | 8 | 1 | 2 |

$\boxed{} \times (\boxed{} \div \boxed{} - \boxed{}) = 12$

| 3 | 14 | 10 | 7 |

$\boxed{} \div (\boxed{} - \boxed{}) + \boxed{} = 9$

| 2 | 3 | 7 | 9 |

$(\boxed{} - \boxed{}) \times \boxed{} + \boxed{} = 48$

| 9 | 8 | 7 | 2 |

$(\boxed{} + \boxed{} - \boxed{}) \times \boxed{} = 20$

1 카드의 수를 사용하여 만든 식을 계산하고 계산 결과가 가장 큰 것부터 차례로 1, 2, 3을 쓰세요.

| 18 | 6 |
| 9 | 3 |

$18 \div (9 \div 3) \times 6 =$ ☐ ( )

$18 \div (6 \div 3) \times 9 =$ ☐ ( )

$6 \div (18 \div 9) \times 3 =$ ☐ ( )

| 20 | 5 |
| 10 | 8 |

$20 \div (10 \div 5) \times 8 =$ ☐ ( )

$8 \div (20 \div 5) \times 10 =$ ☐ ( )

$20 \div (10 - 5) + 8 =$ ☐ ( )

2 계산 결과에 맞게 주어진 수를 ☐ 안에 넣으세요.

| 2 | 4 |
| 8 | 10 |

☐ $\times ($ ☐ $-$ ☐ $) \div$ ☐ $= 20$

☐ $\times ($ ☐ $-$ ☐ $) \div$ ☐ $= 24$

☐ $\times ($ ☐ $-$ ☐ $) \div$ ☐ $= 16$

| 3 | 9 |
| 6 | 2 |

☐ $\times ($ ☐ $-$ ☐ $) \div$ ☐ $= 14$

☐ $\times ($ ☐ $-$ ☐ $) \div$ ☐ $= 18$

☐ $\times ($ ☐ $-$ ☐ $) \div$ ☐ $= 2$

3 주어진 수를 한 번씩 사용하여 계산 결과가 가장 큰 식을 만들고 계산하세요.

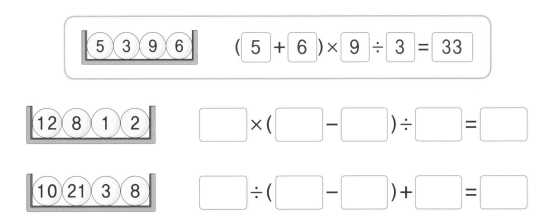

4 3 , 4 , 2 를 한 번씩 모두 사용하여 다음 식을 완성하려고 합니다. 계산 결과가 가장 클 때와 가
장 작을 때는 얼마인지 계산 결과를 각각 구하세요.

$\boxed{} \times (24 \div \boxed{} - \boxed{})$

가장 클 때: _____

가장 작을 때: _____

5 주어진 수와 $+$, $-$, $\times$, $\div$, $(\quad)$ 를 한 번씩 모두 사용하여 계산 결과가 가장 큰 식을 만들고 계산하
세요.

식 _____   답 _____

1 □ 안의 수가 같은 것끼리 선으로 이으세요.

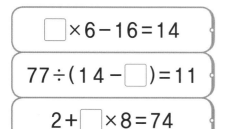

$\square \times 6 - 16 = 14$

$77 \div (14 - \square) = 11$

$2 + \square \times 8 = 74$

$21 - \square \div 3 = 18$

$(31 + \square) \div 6 = 6$

$9 \times (11 - \square) = 36$

2 지연이는 초콜릿이 12개씩 들어있는 상자를 몇 개 샀습니다. 지연이가 초콜릿 상자 5개를 잃어버린 후 동생과 초콜릿을 똑같이 나누어 가지면 지연이는 초콜릿 24개를 가지게 됩니다. 초콜릿 상자를 몇 개 샀는지 □를 사용한 하나의 식으로 나타내어 구하세요.

식 _____   답 _____ 개

3 계산 결과에 맞게 ◯ 안에 주어진 연산 기호를 넣으세요.

$+ \quad - \quad \div$

$(21 \bigcirc 3) \bigcirc 6 \bigcirc 1 = 3$

$- \quad \div \quad \times$

$11 \bigcirc 16 \bigcirc (4 \bigcirc 2) = 9$

4 계산 결과에 맞게 ◯ 안에 **+**, **−**, **×**, **÷** 를 한 번씩 넣으세요.

$$21 \bigcirc (6 \bigcirc 3) \bigcirc 2 \bigcirc 5 = 17$$

$$18 \bigcirc 16 \bigcirc (4 \bigcirc 2) \bigcirc 6 = 14$$

$$14 \bigcirc 7 \bigcirc 5 \bigcirc (7 \bigcirc 3) = 22$$

5 식을 계산하고, 계산 결과가 큰 것부터 차례로 **1**, **2**, **3**을 쓰세요.

$24 \div (6 \div 3) - 1 = \boxed{}$ (   )

$24 \div 6 \div (3 - 1) = \boxed{}$ (   )

$24 \div (6 \div 3 - 1) = \boxed{}$ (   )

6 계산 결과에 맞게 (   )를 넣으세요.

$8 \times 15 - 10 \div 5 + 3 = 11$

$8 \times 15 - 10 \div 5 + 3 = 25$

$8 \times 15 - 10 \div 5 + 3 = 115$

7 다음 식에 여러 가지 방법으로 괄호를 한 번 넣어 계산하였습니다. 계산 결과가 가장 큰 것과 가장 작은 것의 차는 얼마일까요?

$$42 \div 6 + 1 \times 8 - 1$$

_____

8 카드의 수를 사용하여 만든 식을 계산하고, 계산 결과가 가장 큰 것부터 차례로 **1, 2, 3**을 쓰세요.

| 16 | 8 |
| 12 | 4 |

$12 \times (16 - 8) \div 4 = \boxed{}$ $()$

$16 \times (12 - 4) \div 8 = \boxed{}$ $()$

$8 \times (16 - 4) \div 12 = \boxed{}$ $()$

9 주어진 수를 한 번씩 사용하여 계산 결과가 가장 큰 식을 만들고 계산하세요.

⑦ ③ ⑤ ②

$(\boxed{} - \boxed{}) \div \boxed{} \times \boxed{} = \boxed{}$

① ② ⑨ ⑥

$\boxed{} \div (\boxed{} + \boxed{}) + \boxed{} = \boxed{}$

4주차

혼합 계산식
만들기

계산 결과에 맞는 혼합 계산식 만들기

포포즈

개념
원리

4개의 4 사이에 +, −, ×, ÷, (　)를 넣어 여러 가지 수를 만들어 봅시다. 여러 가지 방법이 있습니다.

$4 \times 4 - 4 \times 4 = 0$

같은 수끼리 빼면 0이 됩니다.

$(4 + 4) \div (4 + 4) = 1$

같은 수끼리 나누면 1이 됩니다.

$4 \div 4 + 4 \div 4 = 2$

1 + 1 = 2가 되도록 만들어 봅니다.

$(4 + 4 + 4) \div 4 = 3$

4를 3번 더한 수를 4로 나누면 3이 됩니다.

4 ◯ 4 ◯ 4 ◯ 4 = 4

4 + 0을 만들어 봅니다.

4 ◯ 4 ◯ 4 ◯ 4 = 5

20 ÷ 4를 만들어 봅니다.

4 ◯ 4 ◯ 4 ◯ 4 = 6

4 세 개로 2를 만든 후 4를 더합니다.

4 ◯ 4 ◯ 4 ◯ 4 = 7

8 − 1을 만들어 봅니다.

4 ◯ 4 ◯ 4 ◯ 4 = 8

8 × 1을 만들어 봅니다.

4 ◯ 4 ◯ 4 ◯ 4 = 9

8 + 1을 만들어 봅니다.

$(3+3)-(3+3) = \boxed{}$

$(3 \times 3 \div 3) - 3 = \boxed{}$

$(3+3) \div (3+3) = \boxed{}$

$(3 \times 3 \div 3) \div 3 = \boxed{}$

$(3 \div 3) + (3 \div 3) = \boxed{}$

$(3 \times 3 - 3) \div 3 = \boxed{}$

$(3-3) \times 3 + 3 = \boxed{}$

$(3+3+3) \div 3 = \boxed{}$

$(3 \times 3 + 3) \div 3 = \boxed{}$

$(3+3) - (3 \div 3) = \boxed{}$

$(3+3) - (3-3) = \boxed{}$

$(3+3) + (3 \div 3) = \boxed{}$

$(3 \times 3) - (3 \div 3) = \boxed{}$

$(3 \times 3) \times (3 \div 3) = \boxed{}$

1 다음과 같이 4개의 6과 +, −, ×, ÷, (   )를 사용하여 계산 결과에 맞는 식을 만드세요. 여러 가지 방법이 있습니다.

$$(6+6)-(6+6) = 0$$

_____ =1   _____ =2

_____ =3   _____ =4

_____ =5   _____ =6

_____ =7   _____ =8

2 +, −, ×, ÷, (   )를 사용하여 계산 결과에 맞는 식을 만드세요. 여러 가지 방법이 있습니다.

3   2   1   =0   3   2   1   =1

3   2   1   =2   3   2   1   =3

3   2   1   =4   3   2   1   =5

3   2   1   =6   3   2   1   =7

3 4개의 8 사이에 +, −, ×, ÷, (   )를 넣어 0부터 10까지의 수를 만들려고 합니다. 만들 수 없는
   수 1개를 구하세요.

| 8 | 8 | 8 | 8 |

_____

4 계산 결과에 맞게 5개의 4 사이에 +, −, ×, ÷, (   )를 넣으세요. 여러 가지 방법이 있습니다.

4   4   4   4   4   =1

4   4   4   4   4   =2

4   4   4   4   4   =3

4   4   4   4   4   =4

4   4   4   4   4   =5

10과 24

개념
원리

4개의 숫자와 +, −, ×, ÷, (   )를 사용하여 10을 만들어 봅시다.

| 1 | 3 | 5 | 2 |

$\boxed{1}\ \boxed{3} - (\boxed{5} - \boxed{2}) = 10$

$\boxed{5} \times (\boxed{3} + \boxed{1} - \boxed{2}) = 10$

1과 3을 붙여 두 자리 수 13을 만들 수 있습니다.

| 4 | 2 | 8 | 7 |

$\boxed{2}\ \boxed{4} \div \boxed{8} + \boxed{7} = 10$

$\boxed{2} \times \boxed{7} - (\boxed{8} - \boxed{4}) = 10$

2와 4를 붙여 두 자리 수 24를 만들 수 있습니다.

| 1 | 4 | 4 | 8 |

$\boxed{}\ \boxed{} - (\boxed{} + \boxed{}) = 10$

$\boxed{} + (\boxed{} \div \boxed{}) + \boxed{} = 10$

| 2 | 4 | 7 | 2 |

$\boxed{}\ \boxed{} - (\boxed{} \times \boxed{}) = 10$

$\boxed{} + \boxed{} - (\boxed{} \div \boxed{}) = 10$

| 1 | 5 | 4 | 9 |

$\boxed{}\ \boxed{} - (\boxed{} - \boxed{}) = 10$

$\boxed{} + \boxed{} - \boxed{} \times \boxed{} = 10$

| 3 | 2 | 4 | 7 |

$\boxed{}\ \boxed{} \div \boxed{} - \boxed{} = 10$

$\boxed{} + \boxed{} + \boxed{} - \boxed{} = 10$

| 1 | 3 | 1 | 3 |

$\square\square - (\square \times \square) = 10$

$\square \times \square \times \square + \square = 10$

$\square \times \square + \square \div \square = 10$

$\square\square - (\square \div \square) = 10$

| 4 | 3 | 5 | 3 |

$\square\square - \square\square = 10$

$\square \times \square - \square + \square = 10$

$\square + \square + \square \div \square = 10$

$\square \times (\square + \square - \square) = 10$

| 1 | 2 | 3 | 4 |

$\square + \square + \square + \square = 10$

$\square \times \square - \square \times \square = 10$

$(\square \times \square - \square) \times \square = 10$

$\square \times \square + \square \times \square = 10$

$\square \times \square + \square - \square = 10$

| 1 | 5 | 0 | 5 |

$\square\square + \square - \square = 10$

$\square\square \div \square \times \square = 10$

$\square\square - \square - \square = 10$

$\square \times \square + \square + \square = 10$

$\square\square \div \square \div \square = 10$

1 다음과 같이 주어진 **4**개의 숫자와 **+**, **−**, **×**, **÷**, **( )**를 사용하여 **10**과 **24**를 만드세요. 여러 가지
방법이 있습니다.

$$
\begin{array}{|c c c c|}
\hline
1 & 3 & 2 & 7
\end{array}
$$

$$(2-1) \times 3 + 7 = 10$$

$$(2+1) \times 7 + 3 = 24$$

| 8 | 3 | 6 | 5 |

_____ = 10

_____ = 24

| 1 | 9 | 7 | 8 |

_____ = 10

_____ = 24

| 2 | 4 | 6 | 8 |

_____ = 10

_____ = 24

| 2 | 3 | 5 | 6 |

_____ = 10

_____ = 24

| 1 | 3 | 6 | 5 |

_____ = 10

_____ = 24

| 2 | 5 | 4 | 8 |

_____ = 10

_____ = 24

2 다음은 4개의 3과 **+**, **−**, **×**, **÷**, ( )를 사용하여 24를 만든 것입니다. 3의 개수를 늘려가며 24를 만드세요. 여러 가지 방법이 있습니다.

4개의 3: $3 \times 3 \times 3 - 3 = 24$

5개의 3: _____

6개의 3: _____

7개의 3: _____

8개의 3: _____

3 주어진 수를 사용하여 계산 결과가 **10**이 되는 식을 **3**개 만드세요. 하나의 식에 수 **5**개를 모두 사용해야 하며 **+**, **−**, **×**, **÷**, ( )는 모두 사용하지 않아도 됩니다.

| 2 | 3 | 4 | 5 | 6 |

_____

_____

_____

0 to 9

개념
원리

4개의 숫자와 +, −, ×, ÷, (   )를 사용하여 0부터 9까지의 수를 만들어 봅시다.

1 2 2 6

$1 2 \div 6 - 2 = 0$

$6 - 2 \times 2 \times 1 = 2$

$1 2 \div 6 + 2 = 4$

$6 \times 1 + 2 - 2 = 6$

$(6 - 2) \times (2 \times 1) = 8$

$6 - 2 - 2 - 1 = 1$

$6 \div 2 \times (2 - 1) = 3$

$6 + 2 - 2 - 1 = 5$

$6 \times 1 + 2 \div 2 = 7$

$6 + 2 + 2 - 1 = 9$

1 3 3 5

$\square + \square - \square - \square = 0$

$(\square\square - \square) \div \square = 2$

$\square + \square - \square - \square = 4$

$\square + \square - \square + \square = 6$

$\square\square \div \square + \square = 8$

$(\square + \square) \div (\square + \square) = 1$

$\square \times \square - \square - \square = 3$

$\square \times \square + \square - \square = 5$

$\square + \square \div \square + \square = 7$

$\square \times (\square + \square - \square) = 9$

| 1 | 3 | 4 | 9 |

$\square\square - \square - \square = 0$　　　$\square - \square - \square - \square = 1$

$\square - \square - \square \times \square = 2$　　　$\square + \square - \square - \square = 3$

$(\square + \square) \div \square + \square = 4$　　　$(\square - \square) \div \square + \square = 5$

$\square \div \square + \square - \square = 6$　　　$\square + \square - \square - \square = 7$

$\square\square - \square + \square = 8$　　　$\square + \square - \square - \square = 9$

| 2 | 3 | 4 | 8 |

$\square\square \div \square - \square = 0$　　　$\square + \square + \square - \square = 1$

$\square - \square \div \square \div \square = 2$　　　$\square + \square - \square - \square = 3$

$\square \times \square - \square \times \square = 4$　　　$\square \div \square + \square - \square = 5$

$\square\square \div \square + \square = 6$　　　$\square + \square - \square - \square = 7$

$\square \times (\square + \square - \square) = 8$　　　$\square + \square + \square - \square = 9$

1 주어진 4개의 숫자와 +, −, ×, ÷, ( )를 사용하여 0부터 9까지의 수를 만드세요. 여러 가지 방법
   이 있습니다.

| 1 | 2 | 8 | 9 |

_____ = 0

_____ = 1

_____ = 2

_____ = 3

_____ = 4

_____ = 5

_____ = 6

_____ = 7

_____ = 8

_____ = 9

2   주어진 5개의 숫자와 **+**, **−**, ×, ÷, (   )를 사용하여 **0**부터 **9**까지의 수를 만드세요. 여러 가지 방법이 있습니다.

| 1 | 2 | 3 | 4 | 5 |

_____ = 0

_____ = 1

_____ = 2

_____ = 3

_____ = 4

_____ = 5

_____ = 6

_____ = 7

_____ = 8

_____ = 9

여러 가지 혼합 계산 퍼즐

개념
원리

5개의 2와 +, −, ×, ÷, (   )를 사용하여 0부터 10까지의 수를 만들어 봅시다.

$$(2 - 2) \times 2 \times 2 \times 2 \ = 0$$

$$(2 + 2 + 2) \div 2 - 2 \ = 1$$

$$2 + 2 + 2 - 2 - 2 \ = 2$$

$$2 \quad 2 \quad 2 \quad 2 \quad 2 \ = 3$$

$$2 \quad 2 \quad 2 \quad 2 \quad 2 \ = 4$$

$$2 \quad 2 \quad 2 \quad 2 \quad 2 \ = 5$$

$$2 \quad 2 \quad 2 \quad 2 \quad 2 \ = 6$$

$$2 \quad 2 \quad 2 \quad 2 \quad 2 \ = 7$$

$$2 \quad 2 \quad 2 \quad 2 \quad 2 \ = 8$$

$$2 \quad 2 \quad 2 \quad 2 \quad 2 \ = 9$$

$$2 \quad 2 \quad 2 \quad 2 \quad 2 \ = 10$$

2+2=2 ◯ 2

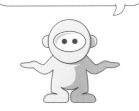

왼쪽과 다른 연산 기호를 넣어
식이 성립하게 만드세요.

6+2+2=6 ◯ 2 ◯ 2

3+2+1=3 ◯ 2 ◯ 1

4+2+1=4 ◯ 2 ◯ 1

10+2+4=10 ◯ 2 ◯ 4

8−4−1=8 ◯ 4 ◯ 1

3+2+2+1=3 ◯ 2 ◯ 2 ◯ 1

4+3+2+1=4 ◯ 3 ◯ 2 ◯ 1

4+2×3+1=4 ◯ 2 ◯ 3 ◯ 1

1 수 사이에 +, −, ×, ÷, ( )를 넣어 식이 성립하도록 만드세요. 여러 가지 방법이 있습니다.

2   1   =1

1   2   3   =1

4   3   2   1   =1

1   2   3   4   5   =1

6   5   4   3   2   1   =1

1   2   3   4   5   6   7   =1

8   7   6   5   4   3   2   1   =1

1   2   3   4   5   6   7   8   9   =1

2　각 식의 ☐ 안에 한 가지 숫자만 넣어 식이 성립하도록 만드세요.

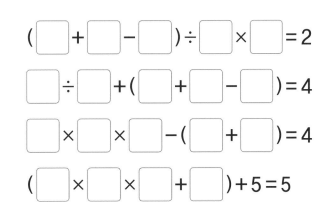

$$(\,\square + \square - \square\,) \div \square \times \square = 2$$

$$\square \div \square + (\,\square + \square - \square\,) = 4$$

$$\square \times \square \times \square - (\,\square + \square\,) = 4$$

$$(\,\square \times \square \times \square + \square\,) + 5 = 5$$

3　수 사이에 $+, -, \times, \div, (\quad)$ 를 넣어 식이 성립하도록 만드세요. 여러 가지 방법이 있습니다.

5　　5　　5　　5　　5　＝40

9　　9　　9　　9　　9　＝18

1　　2　　3　　4　　5　　6　　7　　8　＝1

1　　2　　3　　4　　5　　6　　7　　8　　9　＝60

1 +, −, ×, ÷, ( )를 사용하여 계산 결과에 맞는 식을 만드세요.

4   3   2   = 2   4   3   2   = 3

4   3   2   = 4   4   3   2   = 10

4   3   2   = 20

2 다음은 4개의 2와 +, −, ×, ÷, ( )를 사용하여 16을 만든 것입니다. 2의 개수를 늘려가며 16을 만드세요. 여러 가지 방법이 있습니다.

4개의 2: $2 \times 2 \times 2 \times 2 = 16$

5개의 2: _____

6개의 2: _____

7개의 2: _____

8개의 2: _____

9개의 2: _____

3 4개의 5 사이에 **+**, **−**, **×**, **÷**, **( )**를 넣어 0부터 10까지의 수를 만들려고 합니다. 만들 수 없는 수 1개를 구하세요.

$$5 \quad 5 \quad 5 \quad 5$$

_____

4 주어진 수를 사용하여 계산 결과가 10이 되는 식을 3개 만드세요. 하나의 식에 수 5개를 모두 사용해야 하며 **+**, **−**, **×**, **÷**, **( )**는 모두 사용하지 않아도 됩니다.

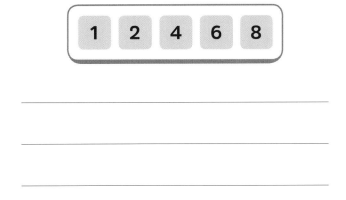

_____

_____

_____

5 **( )**를 넣어 식이 성립하도록 만드세요.

$$8 + 4 \times 6 - 24 \div 2 + 2 = 26$$

$$8 + 4 \times 6 - 24 \div 2 + 2 = 62$$

$$8 + 4 \times 6 - 24 \div 2 + 2 = 6$$

6 3, 5, 7, 9와 +, −, ×, ÷, (   )를 사용하여 13을 만드세요. 여러 가지 방법이 있습니다.

_____ =13

7 4, 6, 7, 8과 +, −, ×, ÷, (   )를 사용하여 8을 만드세요. 여러 가지 방법이 있습니다.

_____ =8

8 2, 5, 8, 9와 +, −, ×, ÷, (   )를 사용하여 4를 만드세요. 여러 가지 방법이 있습니다.

_____ =4

9 ○안에 + 또는 − 를 넣어 식이 성립하도록 만드세요. 여러 가지 방법이 있습니다.

9 ○ 8 ○ 7 ○ 6 ○ 5 ○ 4 ○ 3 ○ 2 ○ 1 = 21

상위권으로 가는 문제 해결 연산 학습지

정답

응용연산

D3 초4~초5 혼합 계산

Creative to Math
씨투엠

D3 혼합 계산
초4 ~ 초5

정답 및 길잡이

괄호가 없는 혼합 계산

353 덧셈과 뺄셈이 있는 혼합 계산

덧셈과 뺄셈이 섞여 있는 식의 계산을 알아봅시다.

$16+7-9$
$= \boxed{23} -9$
$= \boxed{14}$

덧셈과 뺄셈이 섞여 있는 식은 앞에서부터 차례로 계산합니다.

$42-17+8$
$=42+ \boxed{8} -17$
$= \boxed{50} -17$
$= \boxed{33}$

덧셈과 뺄셈이 섞여 있는 식은 부호를 붙여 이동하여 간편하게 계산할 수 있습니다.

$27+6+14$
$=27+ \boxed{20}$
$= \boxed{47}$

덧셈만으로 이루어진 식은 순서에 관계없이 두 수를 더한 다음 나머지 수를 더합니다.

$83-18-12$
$=83- \boxed{30}$
$= \boxed{53}$

빼고 뺄 때에는 한 번에 빼서 간편하게 계산할 수 있습니다.

$28+4-5$
$= \boxed{32} -5$
$= \boxed{27}$

$36-13+9$
$=36+ \boxed{9} -13$
$= \boxed{45} -13$
$= \boxed{32}$

$14+2+28$
$=14+ \boxed{30}$
$= \boxed{44}$

$57-16-14$
$=57- \boxed{30}$
$= \boxed{27}$

$47-6+8$
$= \boxed{41} +8$
$= \boxed{49}$

$65-12+5$
$=65+ \boxed{5} -12$
$= \boxed{70} -12$
$= \boxed{58}$

$23+4+26$
$=23+ \boxed{30}$
$= \boxed{53}$

$98-33-17$
$=98- \boxed{50}$
$= \boxed{48}$

$24+8-7=25$

$53+11-16=48$

$61-9+29=81$

$45-18+5=32$

$28+5+35=68$

$49+13+7=69$

$78-14-16=48$

$36-8-12=16$

$13+4-6+11=22$

$23+7-8-2=20$

$54-27+4+2=33$

$33-28+17-12=10$

$40+5+19+21=85$

$7+15+13+22 =57$

$62-17-11-22=12$

$44-25-4-11 =4$

응용연산

1 위의 식과 계산 결과가 같으면 ○표, 틀리면 ✕표 하세요.

38+29+7
38+7+29 (○)
29+38+7 (○)
7+29+38 (○)

31-24+9
31-9+24 (✕)
31+9-24 (○)
24+9-31 (✕)

86+14-36
86+36-14 (✕)
86-36+14 (○)
14+86-36 (○)

72-14-25
72-25-14 (○)
72-20-19 (○)
72-20-29 (✕)

2 약속에 맞게 식을 쓰고 계산하세요.

약속
■◆● = ■-●-●
■◉● = ■-●+■

$38■9 = \underline{38-9-9=20}$

$17◉8 = \underline{17-8+17=26}$

$72■15 = \underline{72-15-15=42}$

$24◉16 = \underline{24-16+24=32}$

3 다음을 간단히 계산하세요.

$99+98+97+96+1+2+3+4=400$

$111-29-28-27-1-2-3=21$

$98+97-96-95-94+93-92+91-90=102$

4 다음과 같이 + 한 개를 -로 바꾸어 식이 성립하도록 만드세요.

$\boxed{1 + 2 + 3 \not{+} 4 + 5 + 6 =13}$

$1 + 2 \not{+} 3 + 4 + 5 + 6 + 7 + 8 = 30$

$1 + 2 + 3 + 4 + 5 + 6 + 7 \not{+} 8 = 20$

5 수미네 집에는 사탕이 38개, 초콜릿이 45개 있습니다. 그중에서 54개를 친구들이 놀러와 먹었습니다. 남은 간식은 몇 개인지 하나의 식으로 나타내어 구하세요.

식 $\underline{38+45-54=29}$

답 $\underline{29}$ 개

354 · 2일

곱셈과 나눗셈이 있는 혼합 계산

곱셈과 나눗셈이 섞여 있는 식의 계산을 알아봅시다.

$27 \div 9 \times 4$	$35 \times 4 \div 7$	$12 \times 25 \times 4$	$48 \div 2 \div 3$
$= \boxed{3} \times 4$	$= 35 \div \boxed{7} \times 4$	$= 12 \times \boxed{100}$	$= 48 \div \boxed{6}$
$= \boxed{12}$	$= \boxed{5} \times 4$	$= \boxed{1200}$	$= \boxed{8}$
	$= \boxed{20}$		

곱셈과 나눗셈이 섞여 있는 식은 앞에서부터 차례로 계산합니다.

곱셈과 나눗셈이 섞여 있는 식은 부호를 붙여 이동하여 간단하게 계산합니다.

곱셈만으로 이루어진 식은 순서에 관계없이 두 수를 곱한 다음 나머지 수를 곱합니다.

나누고 또 나눌 때에는 한 번에 나누어 간편하게 계산할 수 있습니다.

$33 \div 3 \times 5$	$25 \times 3 \div 5$	$7 \times 5 \times 20$	$45 \div 3 \div 5$
$= \boxed{11} \times 5$	$= 25 \div \boxed{5} \times 3$	$= 7 \times \boxed{100}$	$= 45 \div \boxed{15}$
$= \boxed{55}$	$= \boxed{5} \times 3$	$= \boxed{700}$	$= \boxed{3}$
	$= \boxed{15}$		

$15 \times 4 \div 2$	$40 \div 6 \div 8$	$9 \times 4 \times 25$	$72 \div 8 \div 3$
$= \boxed{60} \div 2$	$= 40 \div \boxed{8} \times 6$	$= 9 \times \boxed{100}$	$= 72 \div \boxed{24}$
$= \boxed{30}$	$= \boxed{5} \times 6$	$= \boxed{900}$	$= \boxed{3}$
	$= \boxed{30}$		

$15 \times 2 \div 6 = 5$ $21 \times 5 \div 3 = 35$

$25 \div 5 \times 4 = 20$ $42 \div 7 \times 5 = 30$

$17 \times 5 \times 2 = 170$ $3 \times 6 \times 5 = 90$

$42 \div 3 \div 2 = 7$ $72 \div 3 \div 4 = 6$

$33 \times 4 \div 11 \times 2 = 24$ $24 \times 7 \div 2 \div 6 = 14$

$55 \div 5 \times 3 \times 2 = 66$ $32 \div 8 \times 18 \div 9 = 8$

$3 \times 2 \times 5 \times 4 = 120$ $4 \times 5 \times 2 \times 15 = 600$

$120 \div 6 \div 5 \div 2 = 2$ $420 \div 5 \div 7 \div 2 = 6$

응용연산

1 ○ 안에 >, =, <를 알맞게 넣으세요

$16 \times 15 \times 7 \boxed{=} 7 \times 15 \times 16$ $28 \times 19 \times 8 \boxed{>} 19 \times 7 \times 28$

$48 \times 14 \div 16 \boxed{<} 48 \div 16 \times 15$ $42 \div 7 \times 15 \boxed{=} 42 \times 15 \div 7$

$300 \div 10 \div 5 \boxed{<} 300 \div 15$ $81 \div 9 \div 3 \boxed{=} 81 \div 27$

2 수 카드를 한 번씩 모두 사용하여 계산 결과에 맞는 식을 만드세요.

| 1 | 4 | 5 | 2 |

$\boxed{1} 2 \times \boxed{5} \div \boxed{4} = 15$

$\boxed{1} 4 \div \boxed{2} \times \boxed{5} = 35$

| 3 | 2 | 8 | 7 |

$\boxed{2} 8 \times \boxed{3} \div \boxed{7} = 12$

$\boxed{7} 2 \times \boxed{3} \div \boxed{8} = 27$

| 2 | 3 | 4 | 6 |

$\boxed{2} 4 \times \boxed{3} \div \boxed{6} = 12$

$\boxed{3} 2 \div \boxed{4} \times \boxed{6} = 48$
또는 $24 \div 3 \times 6 = 48$

| 9 | 6 | 3 | 7 |

$\boxed{3} 6 \times \boxed{7} \div \boxed{9} = 28$

$\boxed{6} 3 \times \boxed{9} \div \boxed{7} = 81$

3 다음을 간단히 계산하세요

$5 \times 25 \times 9 \times 2 \times 3 \times 4 = 27000$

$4800 \div 25 \div 8 \div 4 \div 3 \div 2 = 1$

$27 \times 34 \div 9 \times 8 \div 17 \times 5 = 240$

4 상자 안의 수 중 알맞은 수를 □ 안에 넣으세요.

| 9 | 7 | 8 |

$54 \times 6 \div \boxed{9} = 36$

| 12 | 13 | 14 |

$84 \div 6 \div 7 \times \boxed{13} = 26$

5 물병이 14병씩 담긴 상자가 9개 있습니다. 한 상자에 7병씩 넣어 다시 포장할 때 모두 몇 개의 상자를 만들 수 있는지 하나의 식으로 나타내어 구하세요.

(식) $14 \times 9 \div 7 = 18$ (답) $\boxed{18}$ 개

정답 및 해설   **3**

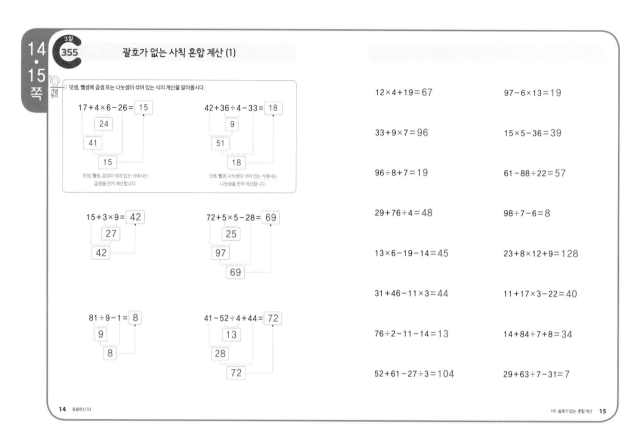

355 3일 **C** 괄호가 없는 사칙 혼합 계산 (1)

덧셈, 뺄셈에 곱셈 또는 나눗셈이 섞여 있는 식의 계산을 알아봅시다.

$17+4×6-26=$ 15
24
41
15

$42+36÷4-33=$ 18
9
51
18

덧셈, 뺄셈, 곱셈이 섞여 있는 식에서는 곱셈을 먼저 계산합니다.

덧셈, 뺄셈, 나눗셈이 섞여 있는 식에서는 나눗셈을 먼저 계산합니다.

$15+3×9=$ 42
27
42

$72+5×5-28=$ 69
25
97
69

$81÷9-1=$ 8
9
8

$41-52÷4+44=$ 72
13
28
72

$12×4+19=67$
$97-6×13=19$

$33+9×7=96$
$15×5-36=39$

$96÷8+7=19$
$61-88÷22=57$

$29+76÷4=48$
$98÷7-6=8$

$13×6-19-14=45$
$23+8×12+9=128$

$31+46-11×3=44$
$11+17×3-22=40$

$76÷2-11-14=13$
$14+84÷7+8=34$

$52+61-27÷3=104$
$29+63÷7-31=7$

응용연산

1 글을 읽고 ☐ 안에 알맞은 수를 쓰고 계산하세요.

9와 4의 곱에 10을 더하고 6을 뺍니다.

9 × 4 + 10 - 6 = 40

7과 8의 곱에서 21을 빼고 15를 더합니다.

7 × 8 - 21 + 15 = 50

14를 2로 나눈 몫을 13에 더하고 17을 뺍니다.

13 + 14 ÷ 2 - 17 = 3

2 약속에 맞게 식을 쓰고 계산하세요.

약속
▲●★ = ▲ + ★ × ▲ - ★
▲◇★ = ▲ - ★ ÷ ▲ + ★

7●5 = 7+5×7-5=37

8◇24 = 8-24÷8+24=29

3●11 = 3+11×3-11=25

5◇25 = 5-25÷5+25=25

3 ☐ 안에 알맞은 수를 쓰세요.

85 ÷5-8=9

70-63÷ 7 =61

92-6× 14 =8

23 ×5+5=120

4 1, 4, 5, 8, 9를 한 번씩 모두 사용하여 계산 결과가 가장 큰 식을 만들고 계산하세요.

8 1 - 4 5 ÷ 9 = 76

9 8 - 4 5 × 1 = 53

5 가게에 있는 모자 70개를 놓을 수 있는 선반에 모자가 8개씩 7줄로 놓여 있습니다. 모자 17개가 팔리면 선반에 더 놓을 수 있는 모자는 모두 몇 개인지 하나의 식으로 나타내어 구하세요.

식 70-8×7+17=31   답 31 개

356 **괄호가 없는 사칙 혼합 계산 (2)**

덧셈, 뺄셈, 곱셈, 나눗셈이 섞여 있는 식의 계산 순서를 알아봅시다.

$5 \times 4 + 12 \div 6 = \boxed{22}$

$15 + 9 \times 7 \div 3 - 12 = \boxed{24}$

덧셈, 뺄셈, 곱셈, 나눗셈이 섞여 있는 식에서는 곱셈, 나눗셈을 먼저 계산합니다.

$6 + 14 \div 2 \times 5 = \boxed{41}$

$4 \times 9 + 5 - 15 \div 3 = \boxed{36}$

$7 \times 3 - 28 \div 4 = \boxed{14}$

$55 - 3 \times 8 + 48 \div 6 = \boxed{39}$

$32 \div 2 + 6 \times 9 = \boxed{70}$

$90 \div 3 \div 5 + 2 \times 8 = \boxed{22}$

$8 + 12 \times 4 \div 3 = 24$

$16 \div 8 \times 7 - 5 = 9$

$6 \times 5 - 24 \div 8 = 27$

$21 + 27 \div 9 \times 6 = 39$

$36 \div 4 \times 5 + 11 = 56$

$6 \times 7 - 33 \div 3 = 31$

$42 - 8 \times 8 \div 4 = 26$

$88 \div 4 + 5 \times 9 = 67$

$11 + 6 \times 7 - 24 \div 3 = 45$

$17 - 14 \times 3 \div 7 + 21 = 32$

$5 \times 8 + 42 \div 3 - 23 = 31$

$47 - 5 \times 6 + 28 \div 4 = 24$

$29 - 34 \div 2 + 72 \div 9 = 20$

$99 \div 9 + 52 - 84 \div 7 = 51$

$7 \times 12 \div 14 - 72 \div 24 = 3$

$66 + 6 \times 13 \div 2 - 19 = 86$

응용연산

1 ☐안에 알맞은 수를 쓰세요.

$84 - \boxed{45} \div 5 \times 9 = 3$

$8 \times 7 \div 4 + \boxed{31} = 45$

$12 \times 5 - 72 \div \boxed{9} = 52$

$55 + \boxed{6} \times 8 - 32 = 71$

$7 + 27 - \boxed{81} \div 9 = 25$

$\boxed{99} \div 9 \times 4 + 7 = 51$

2 다음과 같이 계산 결과에 맞게 1부터 5까지의 수를 ☐안에 한 번씩 써넣으세요.

$\boxed{5} + \boxed{3} \times \boxed{4} \div \boxed{2} - \boxed{1} = 10$

$\boxed{5} \times \boxed{2} + \boxed{4} - \boxed{3} \div \boxed{1} = 11$
또는 2   5

$\boxed{5} \div \boxed{1} + \boxed{3} \times \boxed{2} - \boxed{4} = 7$
또는 2

$\boxed{5} + \boxed{3} - \boxed{4} \times \boxed{1} \div \boxed{2} = 6$
또는 3   5 또는 1   4

$\boxed{4} + \boxed{3} \times \boxed{2} - \boxed{5} \div \boxed{1} = 5$
또는 2   3

3 계산 순서에 맞게 기호를 차례로 쓰세요.

$\underset{\textcircled{\scriptsize 7}\ \textcircled{\scriptsize L}\ \textcircled{\scriptsize C}\ \textcircled{\scriptsize 2}}{19 - 7 \times 2 + 25 \div 5}$

ⓒ, ⓔ, ⓐ, ⓑ

4 ☐안에 들어갈 수 있는 자연수를 모두 쓰세요.

$39 + 54 \div 6 - 7 > 8 + \boxed{} \times 7$

1, 2, 3, 4

$51 - 72 \div 9 > \boxed{} \times 6 + 63 \div 3$

1, 2, 3

5 아라 어머니는 마트에 가서 수박 1개, 고기 300 g, 사과 1개를 샀습니다. 다음 가격표를 보고 어머니가 장을 보고 낸 돈은 얼마인지 하나의 식으로 나타내어 구하세요.

식품	가격(원)
수박(1개)	9000원
고기(100 g)	6000원
사과 1상자(12개)	24000원

식 $9000 + 6000 \times 3 + 24000 \div 12$
$= 29000$

답 29000 원

형성평가

1 약속에 맞게 식을 쓰고 계산하세요.

약속
◆ ■ ♥ = ♥ − ◆ + ♥
◆ ◉ ♥ = ◆ − ♥ − ♥ + ◆

19■27 = $27 - 19 + 27 = 35$ 63◉25 = $63 - 25 - 25 + 63 = 76$

2 +한 개를 −로 바꾸어 식이 성립하게 만드세요.

$3 + 4 + 5 + 6 \cancel{+} 7 + 8 + 9 + 10 = 38$

$3 + 4 + 5 + 6 + 7 + 8 \cancel{+} 9 + 10 = 34$

3 수 카드를 한 번씩 모두 사용하여 계산 결과에 맞는 식을 만드세요.

3 6 4 2

$\boxed{3}\,\boxed{6} \times \boxed{2} \div \boxed{4} = 18$

$\boxed{4}\,\boxed{2} \times \boxed{3} \div \boxed{6} = 21$

1 2 4 8

$\boxed{2}\,\boxed{8} \times \boxed{1} \div \boxed{4} = 7$

$\boxed{1}\,\boxed{4} \times \boxed{8} \div \boxed{2} = 56$

4 상자 안의 수 중 알맞은 수를 □ 안에 넣으세요.

14 15 12

$30 \times 7 \div \boxed{15} = 14$

2 3 5

$84 \div 6 \div \boxed{2} \times 5 = 35$

5 글을 읽고 □ 안에 알맞은 수를 쓰고 계산하세요.

8과 5의 곱에 17을 더하고 13을 뺍니다.

$\boxed{8} \times \boxed{5} + \boxed{17} - \boxed{13} = \boxed{44}$

98을 7로 나눈 값을 38에 더하고 26을 뺍니다.

$\boxed{38} + \boxed{98} \div \boxed{7} - \boxed{26} = \boxed{26}$

6 □ 안에 알맞은 수를 쓰세요.

$\boxed{78} \div 6 + 19 = 32$ $4 \times \boxed{13} - 15 = 37$

$23 + 7 \times \boxed{12} = 107$ $\boxed{92} - 105 \div 15 = 85$

7 1, 2, 3, 5, 6을 한 번씩 모두 사용하여 계산 결과가 가장 작은 식을 만들고 계산하세요.

$\boxed{6}\,\boxed{5} - \boxed{2}\,\boxed{1} \times \boxed{3} = 2$

8 계산 순서에 맞게 기호를 차례로 쓰세요.

$\underset{\bigcirc}{29} \underset{\bigcirc}{-13} \underset{\bigcirc}{+3} \underset{\bigcirc}{\times 18} \underset{\textcircled{\tiny ㄹ}}{\div 9}$

ⓒ, ⓔ, ⓐ, ⓑ

9 과일의 무게가 다음과 같을 때, 바구니에 담긴 과일(참외 1개, 딸기 3봉지, 배 1개)의 무게를 하나의 식으로 나타내어 구하세요.

과일	무게(g)
참외(1개)	250 g
딸기(1봉지)	360 g
배 묶음(3개)	540 g

식 $250 + 360 \times 3 + 540 \div 3 = 1510$ 답 1510 g

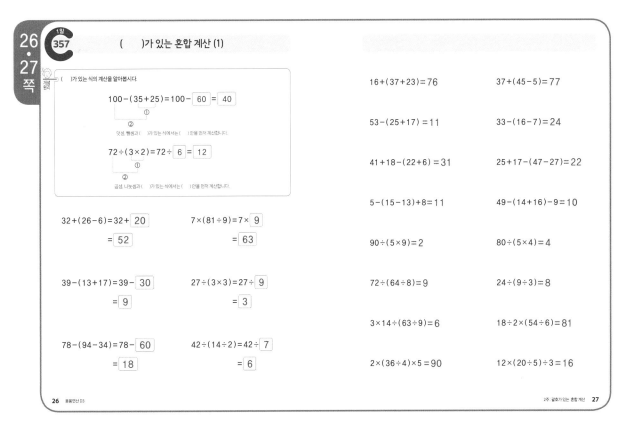

26·27쪽

357 ( )가 있는 혼합 계산 (1)

( )가 있는 식의 계산을 알아봅시다.

$$100-(35+25)=100-\boxed{60}=\boxed{40}$$

덧셈, 뺄셈과 ( )가 있는 식에서는 ( )안을 먼저 계산합니다.

$$72÷(3×2)=72÷\boxed{6}=\boxed{12}$$

곱셈, 나눗셈과 ( )가 있는 식에서는 ( )안을 먼저 계산합니다.

$$32+(26-6)=32+\boxed{20}$$
$$=\boxed{52}$$

$$7×(81÷9)=7×\boxed{9}$$
$$=\boxed{63}$$

$$39-(13+17)=39-\boxed{30}$$
$$=\boxed{9}$$

$$27÷(3×3)=27÷\boxed{9}$$
$$=\boxed{3}$$

$$78-(94-34)=78-\boxed{60}$$
$$=\boxed{18}$$

$$42÷(14÷2)=42÷\boxed{7}$$
$$=\boxed{6}$$

$$16+(37+23)=76$$
$$37+(45-5)=77$$
$$53-(25+17)=11$$
$$33-(16-7)=24$$
$$41+18-(22+6)=31$$
$$25+17-(47-27)=22$$
$$5-(15-13)+8=11$$
$$49-(14+16)-9=10$$
$$90÷(5×9)=2$$
$$80÷(5×4)=4$$
$$72÷(64÷8)=9$$
$$24÷(9÷3)=8$$
$$3×14÷(63÷9)=6$$
$$18÷2×(54÷6)=81$$
$$2×(36÷4)×5=90$$
$$12×(20÷5)÷3=16$$

26 응용연산 D3

2주·괄호가 있는 혼합 계산 27

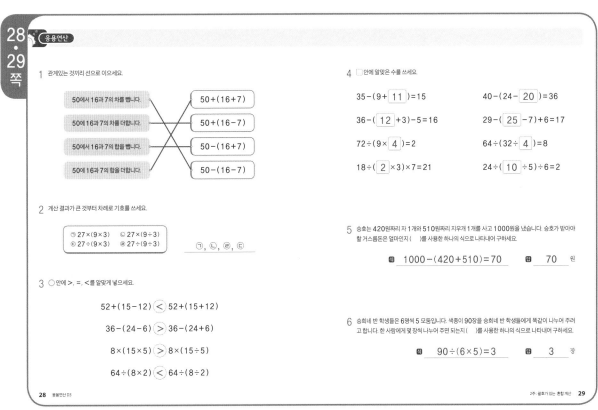

28·29쪽

응용연산

1 관계있는 것끼리 선으로 이으세요.

50에서 16과 7의 차를 뺍니다.	$50+(16+7)$
50에서 16과 7의 차를 더합니다.	$50+(16-7)$
50에서 16과 7의 합을 뺍니다.	$50-(16+7)$
50에 16과 7의 합을 더합니다.	$50-(16-7)$

2 계산 결과가 큰 것부터 차례로 기호를 쓰세요.

㉠ 27×(9×3)   ㉡ 27×(9÷3)
㉢ 27÷(9×3)   ㉣ 27÷(9÷3)

㉠, ㉡, ㉣, ㉢

3 ○안에 >, =, <를 알맞게 넣으세요.

$$52+(15-12) \,<\, 52+(15+12)$$
$$36-(24-6) \,>\, 36-(24+6)$$
$$8×(15×5) \,>\, 8×(15÷5)$$
$$64÷(8×2) \,<\, 64÷(8÷2)$$

4 □안에 알맞은 수를 쓰세요.

$$35-(9+\boxed{11})=15$$
$$40-(24-\boxed{20})=36$$
$$36-(\boxed{12}+3)-5=16$$
$$29-(\boxed{25}-7)+6=17$$
$$72÷(9×\boxed{4})=2$$
$$64÷(32÷\boxed{4})=8$$
$$18÷(\boxed{2}×3)×7=21$$
$$24÷(\boxed{10}÷5)÷6=2$$

5 승호는 420원짜리 자 1개와 510원짜리 지우개 1개를 사고 1000원을 냈습니다. 승호가 받아야 할 거스름돈은 얼마인지 ( )를 사용한 하나의 식으로 나타내어 구하세요.

식 $1000-(420+510)=70$ 답 70 원

6 승희네 반 학생들은 6명씩 5 모둠입니다. 색종이 90장을 승희네 반 학생들에게 똑같이 나누어 주려고 합니다. 한 사람에게 몇 장씩 나누어 주면 되는지 ( )를 사용한 하나의 식으로 나타내어 구하세요.

식 $90÷(6×5)=3$ 답 3 장

28 응용연산 D3

2주·괄호가 있는 혼합 계산 29

C 358 · 2일 · 괄호 없애기

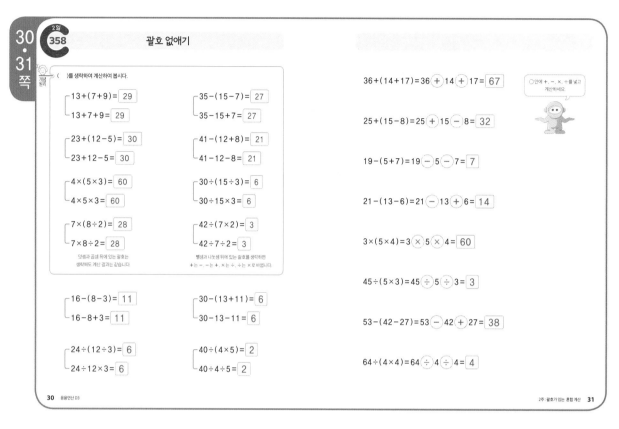

응용연산

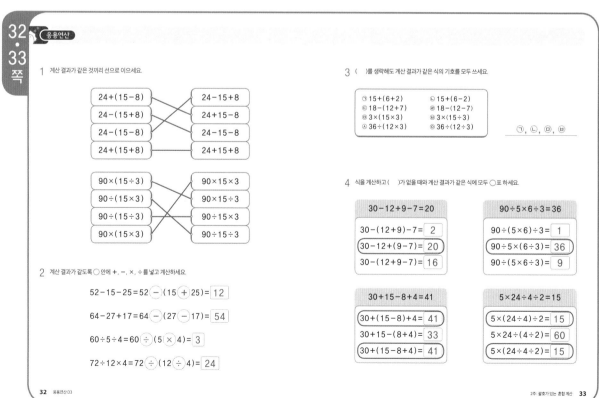

359 3일 C

( )가 있는 혼합 계산 (2)

개념편

덧셈, 뺄셈, 곱셈, 나눗셈, ( )가 섞여 있는 식의 계산을 알아봅시다.

$3+24÷8×(10-5)=$ 18

$2×(12-6)+15÷3=$ 17

( )안을 가장 먼저 계산하고, 곱셈과 나눗셈 계산을 한 후에 마지막으로 덧셈과 뺄셈을 계산합니다.

$54÷3+5×(7-3)=$ 38

$2×(16-7)+28÷4=$ 25

$29+10×(10-4)÷5=$ 41

$(17-9)÷3+6×8=$ 51

$60÷5-(24-12)÷2=$ 6

$4×(15-9)÷8+7=$ 10

$3×(15+6)=63$

$2×(37-7)=60$

$30÷(6+4)=3$

$78÷(9-7)=39$

$57-7×(15÷5)=36$

$33+16÷(17-9)=35$

$5×(42-36)+8=38$

$63÷(4+3)-6=3$

$60-2×(21÷7)+5=59$

$15+15×4÷(35-15)=18$

$4×(25-18)+16÷4=32$

$40÷(4+1)-2×3=2$

$30÷5+(24-4)×2=46$

$3×(18-12)+25÷5=23$

$51-(6×4)÷(19-11)=48$

$(13+15)×3÷(19-12)=12$

36·37쪽

응용연산

1 수 카드를 한 번씩 모두 사용하여 계산 결과에 맞는 식을 만드세요.

2 3 5 8

$3 + 5 × (8 - 2) = 33$

$8 × 2 ÷ (5 - 3) = 8$
또는 2   8
또는 $3 × 8 ÷ (5-2) = 8$
$8 × 3 ÷ (5-2) = 8$

5 7 2 9

$7 ÷ (9 - 2) × 5 = 5$

$9 × 5 - (2 + 7) = 36$
또는 5   9 또는 7   2

8 4 1 3

$8 - 4 ÷ (1 + 3) = 7$
또는 3   1

$4 × 8 ÷ (3 - 1) = 16$
또는 8   4

7 3 6 8

$7 × (8 - 6) + 3 = 17$

$(8 + 6) × 3 ÷ 7 = 6$
또는 6   8

2 약속에 맞게 식을 쓰고 계산하세요.

약속: ♠ ◎ ♣ = (♠ - ♣) × (♠ + ♣)
♠ ◈ ♣ = (♠ + ♣) ÷ (♠ - ♣)

$11 ◎ 9 = (11-9)×(11+9)=40$

$20 ◈ 15 = (20+15)÷(20-15)=7$

$9 ◎ 2 = (9-2)×(9+2)=77$

$12 ◈ 4 = (12+4)÷(12-4)=2$

3 다음과 같이 □ 안에 알맞은 수를 넣고, ( )가 있는 하나의 식으로 나타내세요.

13 —7→ 6 —+8→ 14 —÷2→ 7 $(13-7+8)÷2=7$

20 —-5→ 15 —÷3→ 5 —×6→ 30 $(20-5)÷3×6=30$

6 —×4→ 24 —-6→ 18 —÷6→ 3 $(6×4-6)÷6=3$

4 지수네 반 학생 38명 중 8명씩 4 모둠은 피구를 하고, 남은 학생의 반은 응원을 합니다. 응원하는 학생은 모두 몇 명인지 ( )를 사용한 하나의 식으로 나타내어 구하세요.

식 $(38-8×4)÷2=3$ 답 3 명

5 민수의 나이는 20살이고, 동생은 민수보다 7살 어립니다. 아버지의 나이는 동생 나이의 4배보다 3살 더 많습니다. 아버지의 나이는 몇 살인지 ( )를 사용한 하나의 식으로 나타내어 구하세요.

식 $(20-7)×4+3=55$ 답 55 살

정답 및 해설   **9**

38·39쪽

C 360 4일 { }가 있는 혼합 계산

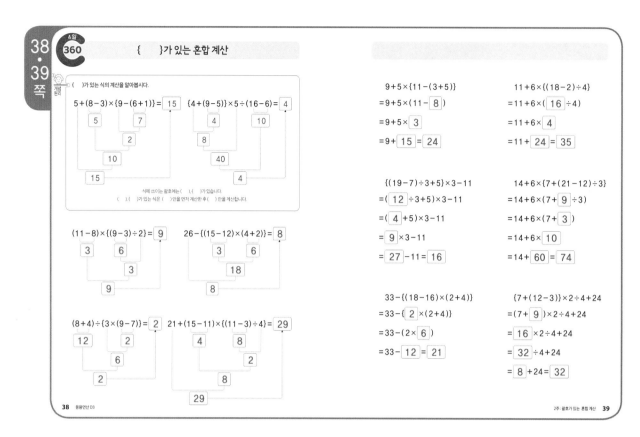

개념원리

{ }가 있는 식의 계산을 알아봅시다.

$5+(8-3)\times\{9-(6+1)\}=\boxed{15}$

$\{4+(9-5)\}\times5\div(16-6)=\boxed{4}$

식에 쓰이는 괄호에는 ( ), { }가 있습니다.
( ), { }가 있는 식은 ( )안을 먼저 계산한 후 { }안을 계산합니다.

$(11-8)\times\{(9-3)\div2\}=\boxed{9}$

$26-\{(15-12)\times(4+2)\}=\boxed{8}$

$(8+4)\div\{3\times(9-7)\}=\boxed{2}$

$21+(15-11)\times\{(11-3)\div4\}=\boxed{29}$

$9+5\times\{11-(3+5)\}$
$=9+5\times(11-\boxed{8})$
$=9+5\times\boxed{3}$
$=9+\boxed{15}=\boxed{24}$

$11+6\times\{(18-2)\div4\}$
$=11+6\times(\boxed{16}\div4)$
$=11+6\times\boxed{4}$
$=11+\boxed{24}=\boxed{35}$

$\{(19-7)\div3+5\}\times3-11$
$=(\boxed{12}\div3+5)\times3-11$
$=(\boxed{4}+5)\times3-11$
$=\boxed{9}\times3-11$
$=\boxed{27}-11=\boxed{16}$

$14+6\times\{7+(21-12)\div3\}$
$=14+6\times(7+\boxed{9}\div3)$
$=14+6\times(7+\boxed{3})$
$=14+6\times\boxed{10}$
$=14+\boxed{60}=\boxed{74}$

$33-\{(18-16)\times(2+4)\}$
$=33-\{\boxed{2}\times(2+4)\}$
$=33-(2\times\boxed{6})$
$=33-\boxed{12}=\boxed{21}$

$\{7+(12-9)\}\times2\div4+24$
$=(7+\boxed{9})\times2\div4+24$
$=\boxed{16}\times2\div4+24$
$=\boxed{32}\div4+24$
$=\boxed{8}+24=\boxed{32}$

40·41쪽

응용연산

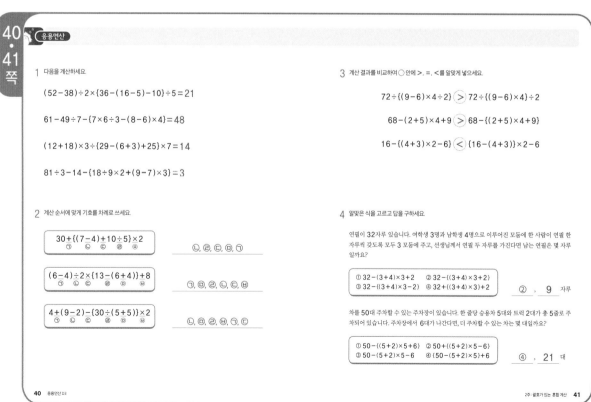

1 다음을 계산하세요.

$(52-38)\div2\times\{36-(16-5)-10\}\div5=21$

$61-49\div7-\{7\times6\div3-(8-6)\times4\}=48$

$(12+18)\times3\div\{29-(6+3)+25\}\times7=14$

$81\div3-14-\{18\div9\times2+(9-7)\times3\}=3$

2 계산 순서에 맞게 기호를 차례로 쓰세요.

$30+\{(7-4)+10\div5\}\times2$
① ② ③ ④ ⑤

ⓒ, ②, ⓒ, ⑩, ①

$(6-4)\div2\times\{13-(6+4)\}+8$
① ① ① ② ⑩ ⑭

①, ⑩, ②, ⓒ, ⓒ, ⓗ

$4+(9-2)-\{30\div(5+5)\}\times2$
① ① ⓒ ② ⑩ ⓒ

ⓒ, ⑩, ②, ⓗ, ①, ⓒ

3 계산 결과를 비교하여 ○ 안에 >, =, <를 알맞게 넣으세요.

$72\div\{(9-6)\times4\div2\}\;\bigcirc>\;72\div\{(9-6)\times4\}\div2$

$68-(2+5)\times4+9\;\bigcirc>\;68-\{(2+5)\times4+9\}$

$16-\{(4+3)\times2-6\}\;\bigcirc<\;\{16-(4+3)\}\times2-6$

4 알맞은 식을 고르고 답을 구하세요.

연필이 32자루 있습니다. 여학생 3명과 남학생 4명으로 이루어진 모둠에 한 사람이 연필 한 자루씩 갖도록 모두 3 모둠에 주고, 선생님께서 연필 두 자루를 가진다면 남는 연필은 몇 자루일까요?

① $32-(3+4)\times3+2$ ② $32-\{(3+4)\times3+2\}$
③ $32-\{(3+4)\times3-2\}$ ④ $32+\{(3+4)\times3\}+2$

② , 9 자루

차를 50대 주차할 수 있는 주차장이 있습니다. 한 줄당 승용차 5대와 트럭 2대가 총 5줄로 주차되어 있습니다. 주차장에서 6대가 나간다면, 더 주차할 수 있는 차는 몇 대일까요?

① $50-\{(5+2)\times5+6\}$ ② $50+\{(5+2)\times5-6\}$
③ $50-(5+2)\times5-6$ ④ $\{50-(5+2)\times5\}+6$

④ , 21 대

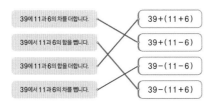

형성평가

1 관계있는 것끼리 선으로 이으세요.

39에 11과 6의 차를 더합니다.		39+(11+6)
39에서 11과 6의 합을 뺍니다.		39+(11-6)
39에 11과 6의 합을 더합니다.		39-(11-6)
39에서 11과 6의 차를 뺍니다.		39-(11+6)

2 □안에 알맞은 수를 쓰세요.

$39-(7+\boxed{13})=19$　　　$37-(31-\boxed{16})=22$

$28-(\boxed{12}+6)-2=8$　　　$41-(\boxed{33}-27)+13=48$

3 계산 결과가 같도록 ○안에 +, -, ×, ÷를 넣고 계산하세요.

$28-26+17=28\,\bigcirc\,(26\,\bigcirc\,17)=\boxed{19}$
(○는 -, -)

$72\div6\div3=72\,\div\,(6\,\times\,3)=\boxed{4}$

$40\div8\times4=40\,\div\,(8\,\div\,4)=\boxed{20}$

4 다음 중 ( )를 생략해도 계산 결과가 같은 식의 기호를 모두 쓰세요.

```
㉠ 18+(6+2)      ㉡ (5-2)×4+5
㉢ 15+(11-5)×2   ㉣ 18-(12-7)
㉤ 11×(15÷5)-2   ㉥ 3×2×(15÷3)
㉦ 25-5×(9÷3)    ㉧ 42÷(8÷4)÷7
```

㉠, ㉢, ㉥, ㉧

5 수 카드를 한 번씩 모두 사용하여 계산 결과에 맞는 식을 만드세요.

9　6　7　2　　　　8　3　1　5

$\boxed{9}+\boxed{7}\times(\boxed{6}-\boxed{2})=37$　　$\boxed{5}-\boxed{8}\div(\boxed{1}+\boxed{3})=3$
　　　　　　　　　　　　　　　　　또는3
$\boxed{6}\times\boxed{7}\div(\boxed{9}-\boxed{2})=6$　　$\boxed{3}\times\boxed{8}\div(\boxed{5}-\boxed{1})=6$
또는 7×6÷(9-2)=6　　　　　또는8　　3
　　　6×2÷(9-7)=6
　　　2×6÷(9-7)=6

6 □안에 알맞은 수를 넣고, ( )가 있는 하나의 식으로 나타내세요.

$\boxed{6}\xrightarrow{\times3}\boxed{18}\xrightarrow{+3}\boxed{21}\xrightarrow{\div7}\boxed{3}$　　$(6\times3+3)\div7=3$

$\boxed{2}\xrightarrow{+7}\boxed{9}\xrightarrow{-5}\boxed{4}\xrightarrow{\times8}\boxed{32}$　　$(2+7-5)\times8=32$

---

7 계산 결과를 비교하여 ○안에 >, =, <를 알맞게 넣으세요.

$\{(15-7)\times2+5\}\div3\,\bigcirc\!\!>\,(15-7\times2+5)\div3$

$\{(1+6)\times(4-2)\}\times3\,\bigcirc\!\!<\,(1+6\times4-2)\times3$

8 현지의 나이는 16살이고 오빠는 현지보다 3살 더 많습니다. 어머니는 오빠 나이의 2배보다 7살 더 많습니다. 어머니의 나이는 몇 살인지 ( )를 사용한 하나의 식으로 나타내어 구하세요.

식 $(16+3)\times2+7=45$　　　답 45 살

9 알맞은 식을 고르고 답을 구하세요.

빨간색 구슬이 4개, 파란색 구슬이 2개씩 들어있는 주머니가 5개 있습니다. 초록색 구슬 9개를 더하여 친구 3명이 구슬을 똑같은 개수씩 나누어 가진다면 한 명이 갖는 구슬은 몇 개일까요?

```
① {(4+2)+5×9}÷3    ② {(4+2)×5÷3}+9
③ (4+2)×5+9÷3      ④ {(4+2)×5+9}÷3
```

④ , 13 개

혼합 계산식 완성하기

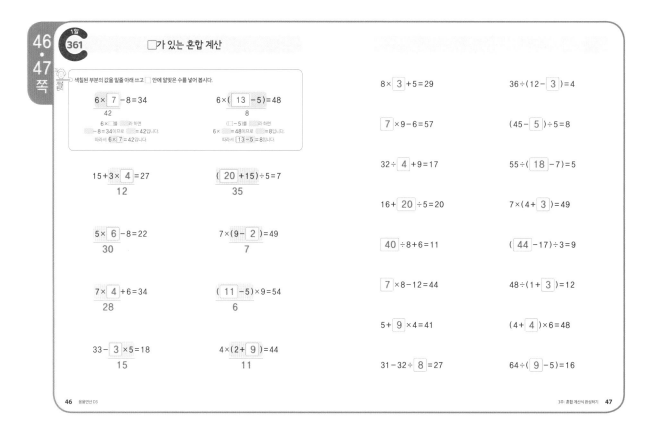

361 □가 있는 혼합 계산

색칠된 부분의 값을 밑줄 아래 쓰고 □ 안에 알맞은 수를 넣어 봅시다.

$6 \times \boxed{7} - 8 = 34$
42

$6 \times (\boxed{13} - 5) = 48$
8

$15 + 3 \times \boxed{4} = 27$
12

$(\boxed{20} + 15) \div 5 = 7$
35

$5 \times \boxed{6} - 8 = 22$
30

$7 \times (9 - \boxed{2}) = 49$
7

$7 \times \boxed{4} + 6 = 34$
28

$(\boxed{11} - 5) \times 9 = 54$
6

$33 - \boxed{3} \times 5 = 18$
15

$4 \times (2 + \boxed{9}) = 44$
11

$8 \times \boxed{3} + 5 = 29$

$36 \div (12 - \boxed{3}) = 4$

$\boxed{7} \times 9 - 6 = 57$

$(45 - \boxed{5}) \div 5 = 8$

$32 \div \boxed{4} + 9 = 17$

$55 \div (\boxed{18} - 7) = 5$

$16 + \boxed{20} \div 5 = 20$

$7 \times (4 + \boxed{3}) = 49$

$\boxed{40} \div 8 + 6 = 11$

$(\boxed{44} - 17) \div 3 = 9$

$\boxed{7} \times 8 - 12 = 44$

$48 \div (1 + \boxed{3}) = 12$

$5 + \boxed{9} \times 4 = 41$

$(4 + \boxed{4}) \times 6 = 48$

$31 - 32 \div \boxed{8} = 27$

$64 \div (\boxed{9} - 5) = 16$

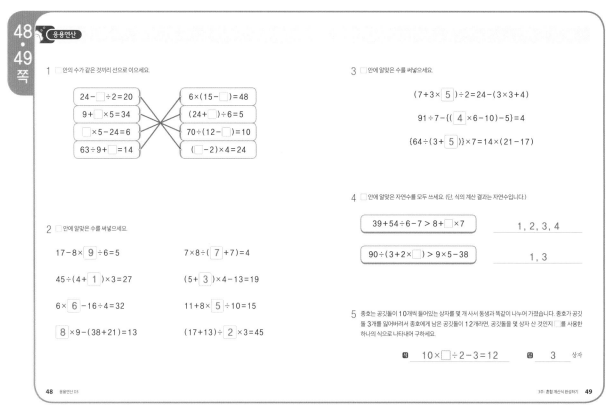

응용연산

1 □ 안의 수가 같은 것끼리 선으로 이으세요.

$24 - \boxed{} \div 2 = 20$

$9 + \boxed{} \times 5 = 34$

$\boxed{} \times 5 - 24 = 6$

$63 \div 9 + \boxed{} = 14$

$6 \times (15 - \boxed{}) = 48$

$(24 + \boxed{}) \div 6 = 5$

$70 \div (12 - \boxed{}) = 10$

$(\boxed{} - 2) \times 4 = 24$

2 □ 안에 알맞은 수를 써넣으세요.

$17 - 8 \times \boxed{9} \div 6 = 5$

$7 \times 8 \div (\boxed{7} + 7) = 4$

$45 \div (4 + \boxed{1}) \times 3 = 27$

$(5 + \boxed{3}) \times 4 - 13 = 19$

$6 \times \boxed{6} - 16 \div 4 = 32$

$11 + 8 \times \boxed{5} \div 10 = 15$

$\boxed{8} \times 9 - (38 + 21) = 13$

$(17 + 13) \div \boxed{2} \times 3 = 45$

3 □ 안에 알맞은 수를 써넣으세요.

$(7 + 3 \times \boxed{5}) \div 2 = 24 - (3 \times 3 + 4)$

$91 \div 7 - \{(\boxed{4} \times 6 - 10) - 5\} = 4$

$\{64 \div (3 + \boxed{5})\} \times 7 = 14 \times (21 - 17)$

4 □ 안에 알맞은 자연수를 모두 쓰세요. (단, 식의 계산 결과는 자연수입니다.)

$39 + 54 \div 6 - 7 > 8 + \boxed{} \times 7$
　　　　　　　　　　1, 2, 3, 4

$90 \div (3 + 2 \times \boxed{}) > 9 \times 5 - 38$
　　　　　　　　　　1, 3

5 종호는 공깃돌이 10개씩 들어있는 상자를 몇 개 사서 동생과 똑같이 나누어 가졌습니다. 종호가 공깃돌 3개를 잃어버려서 종호에 남은 공깃돌이 12개라면, 공깃돌을 몇 상자 산 것인지 □를 사용한 하나의 식으로 나타내어 구하세요.

식 $10 \times \boxed{} \div 2 - 3 = 12$　　답 **3** 상자

2일 C 362

연산자 넣기

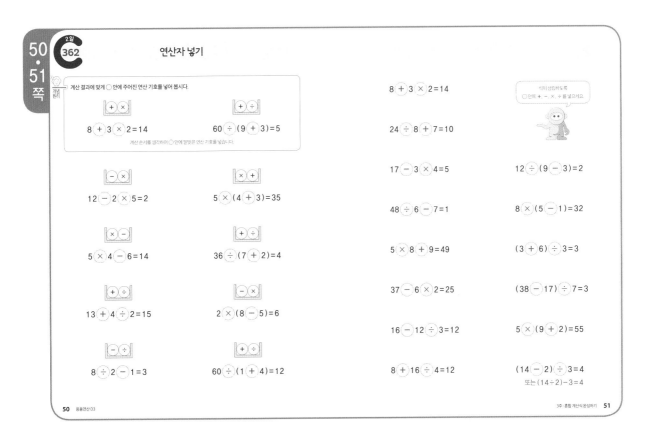

계산 결과에 맞게 ◯ 안에 주어진 연산 기호를 넣어 봅시다.

$$\boxed{+\ \times}$$
$$8\ \boxed{+}\ 3\ \boxed{\times}\ 2=14$$

$$\boxed{+\ \div}$$
$$60\ \boxed{\div}\ (9\ \boxed{+}\ 3)=5$$

계산 순서를 생각하여 ◯ 안에 알맞은 연산 기호를 넣습니다.

$$\boxed{-\ \times}$$
$$12\ \boxed{-}\ 2\ \boxed{\times}\ 5=2$$

$$\boxed{\times\ +}$$
$$5\ \boxed{\times}\ (4\ \boxed{+}\ 3)=35$$

$$\boxed{\times\ -}$$
$$5\ \boxed{\times}\ 4\ \boxed{-}\ 6=14$$

$$\boxed{+\ \div}$$
$$36\ \boxed{\div}\ (7\ \boxed{+}\ 2)=4$$

$$\boxed{+\ \div}$$
$$13\ \boxed{+}\ 4\ \boxed{\div}\ 2=15$$

$$\boxed{-\ \times}$$
$$2\ \boxed{\times}\ (8\ \boxed{-}\ 5)=6$$

$$\boxed{-\ \div}$$
$$8\ \boxed{\div}\ 2\ \boxed{-}\ 1=3$$

$$\boxed{+\ \div}$$
$$60\ \boxed{\div}\ (1\ \boxed{+}\ 4)=12$$

$$8\ \boxed{+}\ 3\ \boxed{\times}\ 2=14$$

$$24\ \boxed{\div}\ 8\ \boxed{+}\ 7=10$$

$$17\ \boxed{-}\ 3\ \boxed{\times}\ 4=5$$

$$48\ \boxed{\div}\ 6\ \boxed{-}\ 7=1$$

$$5\ \boxed{\times}\ 8\ \boxed{+}\ 9=49$$

$$37\ \boxed{-}\ 6\ \boxed{\times}\ 2=25$$

$$16\ \boxed{-}\ 12\ \boxed{\div}\ 3=12$$

$$8\ \boxed{+}\ 16\ \boxed{\div}\ 4=12$$

식이 성립하도록
◯ 안에 +, −, ×, ÷를 넣으세요

$$12\ \boxed{\div}\ (9\ \boxed{-}\ 3)=2$$

$$8\ \boxed{\times}\ (5\ \boxed{-}\ 1)=32$$

$$(3\ \boxed{+}\ 6)\ \boxed{\div}\ 3=3$$

$$(38\ \boxed{-}\ 17)\ \boxed{\div}\ 7=3$$

$$5\ \boxed{\times}\ (9\ \boxed{+}\ 2)=55$$

$$(14\ \boxed{-}\ 2)\ \boxed{\div}\ 3=4$$
또는 $(14\div2)-3=4$

52·53쪽

응용연산

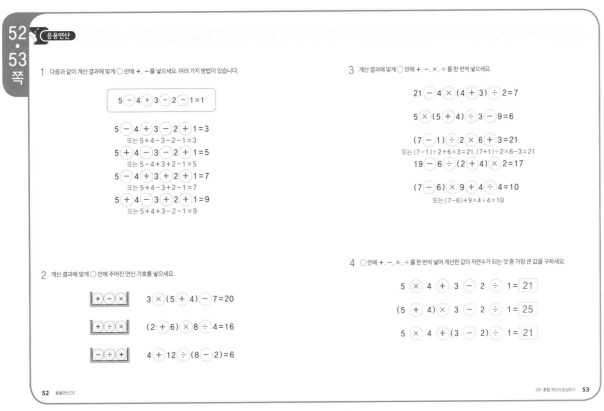

1 다음과 같이 계산 결과에 맞게 ◯ 안에 +, −를 넣으세요. 여러 가지 방법이 있습니다.

$$\boxed{5\ \boxed{-}\ 4\ \boxed{+}\ 3\ \boxed{-}\ 2\ \boxed{-}\ 1=1}$$

$$5\ \boxed{-}\ 4\ \boxed{+}\ 3\ \boxed{-}\ 2\ \boxed{+}\ 1=3$$
또는 $5+4-3-2-1=3$
$$5\ \boxed{+}\ 4\ \boxed{-}\ 3\ \boxed{-}\ 2\ \boxed{+}\ 1=5$$
또는 $5-4+3+2-1=5$
$$5\ \boxed{-}\ 4\ \boxed{+}\ 3\ \boxed{+}\ 2\ \boxed{+}\ 1=7$$
또는 $5+4-3+2-1=7$
$$5\ \boxed{+}\ 4\ \boxed{-}\ 3\ \boxed{+}\ 2\ \boxed{+}\ 1=9$$
또는 $5+4+3-2-1=9$

2 계산 결과에 맞게 ◯ 안에 주어진 연산 기호를 넣으세요.

$$\boxed{+\ -\ \times}$$
$$3\ \boxed{\times}\ (5\ \boxed{+}\ 4)\ \boxed{-}\ 7=20$$

$$\boxed{+\ \div\ \times}$$
$$(2\ \boxed{+}\ 6)\ \boxed{\times}\ 8\ \boxed{\div}\ 4=16$$

$$\boxed{-\ \div\ +}$$
$$4\ \boxed{+}\ 12\ \boxed{\div}\ (8\ \boxed{-}\ 2)=6$$

3 계산 결과에 맞게 ◯ 안에 +, −, ×, ÷를 한 번씩 넣으세요.

$$21\ \boxed{-}\ 4\ \boxed{\times}\ (4\ \boxed{+}\ 3)\ \boxed{\div}\ 2=7$$

$$5\ \boxed{\times}\ (5\ \boxed{+}\ 4)\ \boxed{\div}\ 3\ \boxed{-}\ 9=6$$

$$(7\ \boxed{-}\ 1)\ \boxed{\div}\ 2\ \boxed{\times}\ 6\ \boxed{+}\ 3=21$$
또는 $(7-1)\div2+6\times3=21,(7+1)\div2\times6-3=21$

$$19\ \boxed{-}\ 6\ \boxed{\div}\ (2\ \boxed{+}\ 4)\ \boxed{\times}\ 2=17$$

$$(7\ \boxed{-}\ 6)\ \boxed{\times}\ 9\ \boxed{+}\ 4\ \boxed{\div}\ 4=10$$
또는 $(7-6)+9\times4\div4=10$

4 ◯ 안에 +, −, ×, ÷를 한 번씩 넣어 계산한 값이 자연수가 되는 것 중 가장 큰 값을 구하세요.

$$5\ \boxed{\times}\ 4\ \boxed{+}\ 3\ \boxed{-}\ 2\ \boxed{\div}\ 1=\boxed{21}$$

$$(5\ \boxed{+}\ 4)\ \boxed{\times}\ 3\ \boxed{-}\ 2\ \boxed{\div}\ 1=\boxed{25}$$

$$5\ \boxed{\times}\ 4\ \boxed{+}\ (3\ \boxed{-}\ 2)\ \boxed{\div}\ 1=\boxed{21}$$

54·55쪽

C 3일 363 괄호 넣기

여러 가지 방법으로 ( )를 넣고 계산 결과를 비교하여 봅시다.

$36 - 24 \div 6 + 2 = \boxed{34}$
$(36 - 24) \div 6 + 2 = \boxed{4}$
$36 - 24 \div (6 + 2) = \boxed{33}$
$36 - (24 \div 6 + 2) = \boxed{30}$

$3 \times 5 - 4 + 2 = \boxed{13}$
$3 \times (5 - 4) + 2 = \boxed{5}$
$3 \times 5 - (4 + 2) = \boxed{9}$
$3 \times (5 - 4 + 2) = \boxed{9}$

$40 - 32 \div 4 + 4 = \boxed{36}$
$(40 - 32) \div 4 + 4 = \boxed{6}$
$40 - 32 \div (4 + 4) = \boxed{36}$
$40 - (32 \div 4 + 4) = \boxed{28}$

$6 \times 7 - 5 + 3 = \boxed{40}$
$6 \times (7 - 5) + 3 = \boxed{15}$
$6 \times 7 - (5 + 3) = \boxed{34}$
$6 \times (7 - 5 + 3) = \boxed{30}$

$35 - 30 \div 5 + 1 = \boxed{30}$
$(35 - 30) \div 5 + 1 = \boxed{2}$
$35 - 30 \div (5 + 1) = \boxed{30}$
$35 - (30 \div 5 + 1) = \boxed{28}$

$11 \times 6 - 5 + 2 = \boxed{63}$
$11 \times (6 - 5) + 2 = \boxed{13}$
$11 \times 6 - (5 + 2) = \boxed{59}$
$11 \times (6 - 5 + 2) = \boxed{33}$

계산 결과에 맞게 ( )하나를 넣으세요.

$50 - 6 \times (2 + 4) = 14$

$77 \div (5 - 4 + 6) = 11$

$(24 + 12) \div 6 - 2 = 4$

$3 \times (18 - 6 \div 3) = 48$

$24 \div 6 \times (4 + 8) \div 4 = 12$

$(8 - 3 + 5) \times 3 \div 5 = 6$

$105 \div 7 - (3 + 4) \times 2 = 1$

$(5 + 3 \times 2 + 1) \div 2 = 6$

56·57쪽

응용연산

1 식을 계산하고, 계산 결과가 큰 것부터 차례로 1, 2, 3을 쓰세요.

$32 \div (8 \div 4) \div 2 = \boxed{8}$ (2)
$32 \div 8 \div (4 \div 2) = \boxed{2}$ (3)
$32 \div (8 \div 4 \div 2) = \boxed{32}$ (1)

$27 - (6 \div 3) + 2 = \boxed{27}$ (1)
$27 - (6 \div 3 + 2) = \boxed{23}$ (2)
$(27 - 6) \div 3 + 2 = \boxed{9}$ (3)

2 계산 결과에 맞게 ( )를 넣으세요.

$(10 + 30) \div 5 - 2 + 3 = 9$
$10 + 30 \div (5 - 2) + 3 = 23$
$10 + 30 \div (5 - 2 + 3) = 15$

$6 \times (15 - 12) \div 3 + 1 = 7$
$6 \times 15 - (12 \div 3 + 1) = 85$
$6 \times (15 - 12 \div 3) + 1 = 67$

3 다음과 같이 계산 결과가 가장 큰 값이 나오도록 ( )를 한 번 넣고 계산하세요.

$7 \times (5 + 3) - 2 = \boxed{54}$

$128 \div (16 \div 8 \div 2) = \boxed{128}$

$3 \times (7 + 4) \times 2 = \boxed{66}$

4 계산 결과가 가장 작은 값이 나오도록 ( )를 한 번 넣고 계산하세요.

$92 - (9 + 5) \times 6 = \boxed{8}$

$5 \times (9 - 6) \div 3 = \boxed{5}$

$(64 - 8) \div 4 - 4 = \boxed{10}$

5 다음 식에 여러 가지 방법으로 괄호를 한 번 넣어 계산하였습니다. 계산 결과가 가장 큰 것과 가장 작은 것의 차는 얼마일까요?

$6 + 6 \div 3 \times 2 - 1$ $15 - 6 = 9$
$6 + 6 \div (3 \times 2) - 1 = 6$
$(6 + 6 \div 3) \times 2 - 1 = 15$

수 카드

여러 가지 방법으로 카드의 수를 사용하여 만든 식의 계산 결과를 비교하여 봅시다.

4 6 8 2

$6+8 \div (4-2) = \boxed{10}$
$4+2 \div (8-6) = \boxed{5}$
$8+4 \div (6-2) = \boxed{9}$
$2+8 \div (6-4) = \boxed{6}$

13 3 4 5

$4 \times (13+5) \div 3 = \boxed{24}$
$5 \times (13+3) \div 4 = \boxed{20}$
$13 \times (4+5) \div 3 = \boxed{39}$
$13 \times (3+5) \div 4 = \boxed{26}$

6 3 9 12

$6+3 \div (12-9) = \boxed{7}$
$12+6 \div (9-3) = \boxed{13}$
$12+9 \div (6-3) = \boxed{15}$
$3+12 \div (9-6) = \boxed{7}$
$9+12 \times (6-3) = \boxed{45}$

6 2 12 4

$6 \times (12+4) \div 2 = \boxed{48}$
$12 \times (2+6) \div 4 = \boxed{24}$
$4 \times (12+6) \div 2 = \boxed{36}$
$12 \times (2+4) \div 6 = \boxed{12}$
$6+(12-4) \times 2 = \boxed{22}$

5 6 7 9 $6 \times (\boxed{7}-\boxed{5})+\boxed{9}=21$

12 3 2 8 $(\boxed{12}-\boxed{3}) \times \boxed{2}-\boxed{8}=10$
또는 $(12-8) \times 3-2=10$

7 6 5 3 $6 \times (\boxed{7}-\boxed{5})+\boxed{3}=15$

6 4 11 9 $\boxed{4}+\boxed{9} \times (\boxed{11}-\boxed{6})=49$

4 8 1 2 $4 \times (\boxed{8} \div \boxed{2}-\boxed{1})=12$

3 14 10 7 $14 \div (\boxed{10}-\boxed{3})+\boxed{7}=9$

2 3 7 9 $(\boxed{7}-\boxed{2}) \times \boxed{9}+\boxed{3}=48$

9 8 7 2 $(\boxed{9}+\boxed{8}-\boxed{7}) \times \boxed{2}=20$
또는 $(8+9-7) \times 2=20$

1 카드의 수를 사용하여 만든 식을 계산하고 계산 결과가 가장 큰 것부터 차례로 1, 2, 3을 쓰세요.

18 6 9 3

$18 \div (9 \div 3) \times 6 = \boxed{36}$ (2)
$18 \div (6 \div 3) \times 9 = \boxed{81}$ (1)
$6 \div (18 \div 9) \times 3 = \boxed{9}$ (3)

20 5 10 8

$20 \div (10 \div 5) \times 8 = \boxed{80}$ (1)
$8 \div (20 \div 5) \times 10 = \boxed{20}$ (2)
$20 \div (10-5)+8 = \boxed{12}$ (3)

2 계산 결과에 맞게 주어진 수를 □ 안에 넣으세요.

2 4 8 10

$\boxed{10} \times (\boxed{8}-\boxed{4}) \div \boxed{2}=20$
$\boxed{8} \times (\boxed{10}-\boxed{4}) \div \boxed{2}=24$
$\boxed{8} \times (\boxed{10}-\boxed{2}) \div \boxed{4}=16$

3 9 6 2

$\boxed{6} \times (\boxed{9}-\boxed{2}) \div \boxed{3}=14$
$\boxed{6} \times (\boxed{9}-\boxed{3}) \div \boxed{2}=18$
$\boxed{2} \times (\boxed{9}-\boxed{3}) \div \boxed{6}=2$
또는 $2 \times (9-6) \div 3=2$

3 주어진 수를 한 번씩 사용하여 계산 결과가 가장 큰 식을 만들고 계산하세요.

5 3 9 6 $(\boxed{5}+\boxed{6}) \times \boxed{9} \div \boxed{3}=33$

12 8 2 1 $\boxed{8} \times (\boxed{12}-\boxed{2}) \div \boxed{1}=80$

10 21 3 8 $\boxed{10} \div (\boxed{8}-\boxed{3})+\boxed{21}=23$

4 **3, 4, 2** 를 한 번씩 모두 사용하여 다음 식을 완성하려고 합니다. 계산 결과가 가장 클 때와 가장 작을 때는 얼마인지 계산 결과를 각각 구하세요.

$\boxed{} \times (24 \div \boxed{}-\boxed{})$

가장 클 때: 36
가장 작을 때: 6

5 주어진 수와 +, -, ×, ÷, ( )를 한 번씩 모두 사용하여 계산 결과가 가장 큰 식을 만들고 계산하세요.

1 3 5 6 7

예 $7 \times (6+5)-3 \div 1=74$ 답 74
식을 쓰는 순서는 달라도 계산 결과가 74이면 정답입니다.

정답 및 해설 **15**

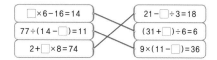

62·63쪽

형성평가

1 □ 안의 수가 같은 것끼리 선으로 이으세요.

$\square \times 6 - 16 = 14$

$77 \div (14 - \square) = 11$

$2 + \square \times 8 = 74$

$21 - \square \div 3 = 18$

$(31 + \square) \div 6 = 6$

$9 \times (11 - \square) = 36$

2 지연이는 초콜릿이 12개씩 들어있는 상자를 몇 개 샀습니다. 지연이가 초콜릿 상자 5개를 잃어버린 후 동생과 초콜릿을 똑같이 나누어 가지면 지연이는 초콜릿 24개를 가지게 됩니다. 초콜릿 상자를 몇 개 샀는지 □를 사용한 하나의 식으로 나타내어 구하세요.

식 $12 \times (\square - 5) \div 2 = 24$ 답 9 개

3 계산 결과에 맞게 ○ 안에 주어진 연산 기호를 넣으세요.

$+ - \div$ $(21 + 3) \div 6 - 1 = 3$

$- \div \times$ $11 - 16 \div (4 \times 2) = 9$

4 계산 결과에 맞게 ○ 안에 +, −, ×, ÷를 한 번씩 넣으세요.

$21 \div (6 - 3) + 2 \times 5 = 17$

$18 + 16 \div (4 \times 2) - 6 = 14$
또는 $18 - 16 + (4 \div 2) \times 6 = 14$

$14 \div 7 + 5 \times (7 - 3) = 22$

5 식을 계산하고, 계산 결과가 큰 것부터 차례로 1, 2, 3을 쓰세요.

$24 \div (6 \div 3) - 1 = \boxed{11}$ (2)

$24 \div 6 \div (3 - 1) = \boxed{2}$ (3)

$24 \div (6 \div 3 - 1) = \boxed{24}$ (1)

6 계산 결과에 맞게 ( )를 넣으세요.

$8 \times (15 - 10) \div 5 + 3 = 11$

$(8 \times 15 - 10) \div 5 + 3 = 25$

$8 \times 15 - (10 \div 5 + 3) = 115$

64쪽

7 다음 식에 여러 가지 방법으로 괄호를 한 번 넣어 계산하였습니다. 계산 결과가 가장 큰 것과 가장 작은 것의 차는 얼마일까요?

$42 \div 6 + 1 \times 8 - 1$ $63 - 2 = 61$

$42 \div (6 + 1 \times 8) - 1 = 2$

$(42 \div 6 + 1) \times 8 - 1 = 63$

8 카드의 수를 사용하여 만든 식을 계산하고, 계산 결과가 가장 큰 것부터 차례로 1, 2, 3을 쓰세요.

16 8
12 4

$12 \times (16 - 8) \div 4 = \boxed{24}$ (1)

$16 \times (12 - 4) \div 8 = \boxed{16}$ (2)

$8 \times (16 - 4) \div 12 = \boxed{8}$ (3)

9 주어진 수를 한 번씩 사용하여 계산 결과가 가장 큰 식을 만들고 계산하세요.

7 3 5 2 $(7 - 3) \div 2 \times 5 = 10$

1 2 9 6 $6 \div (1 + 2) + 9 = 11$
또는 2   1

혼합 계산식 만들기

1일 365 포포즈

4개의 4 사이에 +, −, ×, ÷, ( )를 넣어 여러 가지 수를 만들어 봅시다. 여러 가지 방법이 있습니다.

$4 \times 4 - 4 \times 4 = 0$
같은 수끼리 빼면 0이 됩니다.

$(4 + 4) \div (4 + 4) = 1$
같은 수끼리 나누면 1이 됩니다.

$4 \div 4 + 4 \div 4 = 2$
1+1=2가 되도록 만들어 봅니다.

$(4 + 4 + 4) \div 4 = 3$
4를 3번 더한 수를 4로 나누면 3이 됩니다.

$4 + (4 - 4) \times 4 = 4$
4+0을 만들어 봅니다.
또는 $4 + 4 \times (4 - 4) = 4$

$(4 \times 4 + 4) \div 4 = 5$
20÷4를 만들어 봅니다.

$(4 + 4) \div 4 + 4 = 6$
4 세 개로 2를 만든 후 4를 더합니다.

$4 + 4 - 4 \div 4 = 7$
8−1을 만들어 봅니다.

$(4 + 4) \times 4 \div 4 = 8$
8×1을 만들어 봅니다.

$4 + 4 + 4 \div 4 = 9$
8+1을 만들어 봅니다.

$(3 + 3) - (3 + 3) = \boxed{0}$

$(3 \times 3 \div 3) - 3 = \boxed{0}$

$(3 + 3) \div (3 + 3) = \boxed{1}$

$(3 \times 3 \div 3) \div 3 = \boxed{1}$

$(3 \div 3) + (3 \div 3) = \boxed{2}$

$(3 \times 3 - 3) \div 3 = \boxed{2}$

$(3 - 3) \times 3 + 3 = \boxed{3}$

$(3 + 3 + 3) \div 3 = \boxed{3}$

$(3 \times 3 + 3) \div 3 = \boxed{4}$

$(3 + 3) - (3 \div 3) = \boxed{5}$

$(3 + 3) - (3 - 3) = \boxed{6}$

$(3 + 3) + (3 \div 3) = \boxed{7}$

$(3 \times 3) - (3 \div 3) = \boxed{8}$

$(3 \times 3) \times (3 \div 3) = \boxed{9}$

응용연산

1 다음과 같이 4개의 6과 +, −, ×, ÷, ( )를 사용하여 계산 결과에 맞는 식을 만드세요. 여러 가지 방법이 있습니다.

$(6 + 6) - (6 + 6) = 0$

$6 - 6 + 6 \div 6 = 1$ $\qquad$ $6 \div 6 + 6 \div 6 = 2$

$(6 + 6 + 6) \div 6 = 3$ $\qquad$ $6 - (6 + 6) \div 6 = 4$

$(6 \times 6 - 6) \div 6 = 5$ $\qquad$ $6 + (6 - 6) \times 6 = 6$

$(6 \times 6 + 6) \div 6 = 7$ $\qquad$ $6 + (6 + 6) \div 6 = 8$

이 외에도 여러 가지 방법이 있습니다.

2 +, −, ×, ÷, ( )를 사용하여 계산 결과에 맞는 식을 만드세요. 여러 가지 방법이 있습니다.

$3 - 2 - 1 = 0$ $\qquad$ $3 - 2 \times 1 = 1$

$3 - 2 + 1 = 2$ $\qquad$ $3 \times (2 - 1) = 3$

$3 + 2 - 1 = 4$ $\qquad$ $3 + 2 \times 1 = 5$

$3 \times 2 \times 1 = 6$ $\qquad$ $3 \times 2 + 1 = 7$

이 외에도 여러 가지 방법이 있습니다.

3 4개의 8 사이에 +, −, ×, ÷, ( )를 넣어 0부터 10까지의 수를 만들려고 합니다. 만들 수 없는 수 1개를 구하세요.

$\boxed{8 \quad 8 \quad 8 \quad 8}$ $\qquad$ 5

$8 \times 8 - 8 \times 8 = 0$ $\quad$ $(8 + 8) \div (8 + 8) = 1$ $\quad$ $8 \div 8 + 8 \div 8 = 2$
$(8 + 8 + 8) \div 8 = 3$ $\quad$ $8 \times 8 \div (8 + 8) = 4$ $\quad$ $8 - (8 + 8) \div 8 = 6$
$(8 \times 8 - 8) \div 8 = 7$ $\quad$ $8 + 8 \times (8 - 8) = 8$ $\quad$ $(8 \times 8 + 8) \div 8 = 9$
$(8 + 8) \div 8 + 8 = 10$

4 계산 결과에 맞게 5개의 4 사이에 +, −, ×, ÷, ( )를 넣으세요. 여러 가지 방법이 있습니다.

$(4 + 4) \div 4 - (4 \div 4) = 1$

$4 - (4 \div 4) - (4 \div 4) = 2$

$(4 + 4) \div 4 + (4 \div 4) = 3$

$4 + (4 \div 4) - (4 \div 4) = 4$

$4 + 4 \times 4 \div 4 \div 4 = 5$

이 외에도 여러 가지 방법이 있습니다.

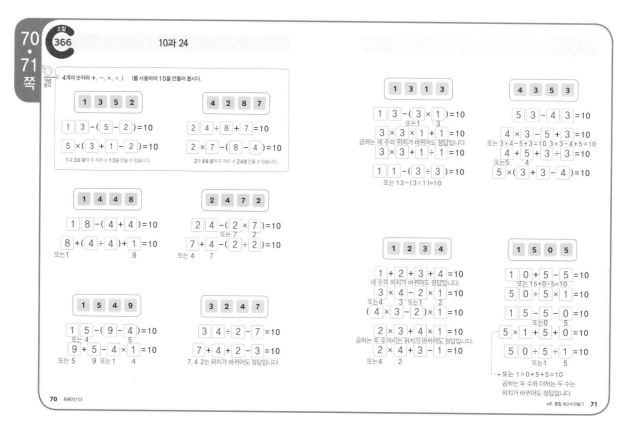

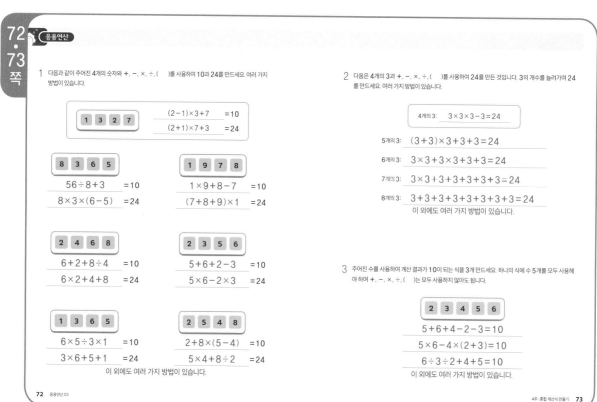

3일 C 367

0 to 9

4개의 숫자와 +, −, ×, ÷, ( )를 사용하여 0부터 9까지의 수를 만들어 봅시다.

1 2 2 6

$1\ 2 \div 6 - 2 = 0$ $6 - 2 - 2 - 1 = 1$
$6 - 2 \times 2 \times 1 = 2$ $6 \div 2 \times (2 - 1) = 3$
$1\ 2 \div 6 + 2 = 4$ $6 + 2 - 2 - 1 = 5$
$6 \times 1 + 2 - 2 = 6$ $6 \times 1 + 2 \div 2 = 7$
$(6 - 2) \times (2 \times 1) = 8$ $6 + 2 + 2 - 1 = 9$

1 3 4 9

$1\ 3 - 4 - 9 = 0$ $9 - 4 - 3 - 1 = 1$
또는 9−3−4×1=2, 4. 3. 1의 위치가 바뀌어도 정답입니다.
또는 9, 4
9−3−1×4=2 $9 - 4 - 3 \times 1 = 2$ $9 + 1 - 4 - 3 = 3$
또는 1   또는 4   3
$(9 + 3) \div 4 + 1 = 4$ $(9 - 1) \div 4 + 3 = 5$
또는 3   9
$9 \div 3 + 4 - 1 = 6$ $9 + 3 - 4 - 1 = 7$
또는 3   9 또는 1 4
$1\ 4 - 9 + 3 = 8$ $9 + 4 - 3 - 1 = 9$
또는 3   4   또는 4 9 또는 1 3

1 3 3 5

또는 5+1−3−3=0, 1+5−3−3=0 $(5 + 1) \div (3 + 3) = 1$
$3 + 3 - 5 - 1 = 0$ 더하는 두 수끼리의 위치가 바뀌어도 정답입니다.
또는 1 5
$(1\ 3 - 3) \div 5 = 2$ $3 \times 3 - 5 - 1 = 3$
또는 1   5
$5 + 3 - 3 - 1 = 4$ $5 \times 1 + 3 - 3 = 5$
또는 3   5 또는 1   3   또는 3×3+1−5=5, 5,1×5+3−3=5
$5 + 3 - 3 + 1 = 6$ $5 + 3 \div 3 + 1 = 7$
더하는 세 수의 위치가 바뀌어도 정답입니다.   또는 1   5
$1\ 5 \div 3 + 3 = 8$ $3 \times (5 + 1 - 3) = 9$
또는 1   5

2 3 4 8

$2\ 4 \div 3 - 8 = 0$ $4 + 3 + 2 - 8 = 1$
또는 8   3   4. 3. 2의 위치가 바뀌어도 정답입니다.
$3 - 8 \div 4 \div 2 = 2$ $8 + 2 - 3 - 4 = 3$
또는 4   8   또는 1
$2 \times 8 - 3 \times 4 = 4$ $8 \div 2 + 4 - 3 = 5$
또는 8   2 또는 4
$2\ 4 \div 8 + 3 = 6$ $8 + 4 - 2 - 3 = 7$
또는 4   8   또는 3   2
$8 \times (3 + 2 - 4) = 8$ $8 + 3 + 2 - 4 = 9$
또는 2   3   8. 3. 2의 위치가 바뀌어도 정답입니다.

응용연산

1 주어진 4개의 숫자와 +, −, ×, ÷, ( )를 사용하여 0부터 9까지의 수를 만드세요. 여러 가지 방법이 있습니다.

1 2 8 9

$18 \div 2 - 9 = 0$
$18 \div 2 \div 9 = 1$
$(9 - 8) + (2 - 1) = 2$
$(9 - 8) + (2 \times 1) = 3$
$9 - 8 \div 2 - 1 = 4$
$9 - 8 \div 2 \times 1 = 5$
$9 - 8 \div 2 + 1 = 6$
$81 \div 9 - 2 = 7$
$2 \times 8 + 1 - 9 = 8$
$2 \times 9 - 8 - 1 = 9$
이 외에도 여러 가지 방법이 있습니다.

2 주어진 5개의 숫자와 +, −, ×, ÷, ( )를 사용하여 0부터 9까지의 수를 만드세요. 여러 가지 방법이 있습니다.

1 2 3 4 5

$12 - 3 - 4 - 5 = 0$
$5 + 2 + 1 - 3 - 4 = 1$
$(1 + 2 + 3 + 4) \div 5 = 2$
$4 \times 5 \div (2 + 3) - 1 = 3$
$4 \times 5 \div (2 + 3) \times 1 = 4$
$1 + 2 + 3 + 4 - 5 = 5$
$4 \times 5 \div 2 - 3 - 1 = 6$
$1 + 2 + 3 + 5 - 4 = 7$
$4 \times 5 \div 2 - 3 + 1 = 8$
$(4 + 5) \div 3 \times (2 + 1) = 9$
이 외에도 여러 가지 방법이 있습니다.

4일 368 여러 가지 혼합 계산 퍼즐

5개의 2와 +, −, ×, ÷, ( )를 사용하여 0부터 10까지의 수를 만들어 봅시다.

$(2 - 2) \times 2 \times 2 \times 2 = 0$

$(2 + 2 + 2) \div 2 - 2 = 1$

$2 + 2 + 2 - 2 - 2 = 2$

$2 \quad 2 \div 2 \quad 2 + 2 = 3$

$(2 \div 2) + (2 \div 2) + 2 = 4$

$(2 + 2 + 2) \div 2 + 2 = 5$

$(2 \times 2 \times 2) \div 2 + 2 = 6$

$2 + 2 + 2 + 2 \div 2 = 7$

$2 \times 2 \times 2 \times 2 \div 2 = 8$

$2 \times 2 \times 2 + 2 \div 2 = 9$

$2 + 2 + 2 + 2 + 2 = 10$

이 외에도 여러 가지 방법이 있습니다.

$2 + 2 = 2 \times 2$

왼쪽과 다른 연산 기호를 넣어 식이 성립하게 만드세요

$6 + 2 + 2 = 6 \times 2 - 2$

또는 $6 + 2 \times 2$

$3 + 2 + 1 = 3 \times 2 \times 1$

또는 $3 \times 2 \div 1$

$4 + 2 + 1 = 4 \times 2 - 1$

$10 + 2 + 4 = 10 \times 2 - 4$

$8 - 4 - 1 = 8 \div 4 + 1$

$3 + 2 + 2 + 1 = 3 \times 2 + 2 \times 1$

또는 $3 + 2 \times 2 + 1$, $3 \times 2 + 2 \div 1$

$4 + 3 + 2 + 1 = 4 \times 3 - 2 \times 1$

또는 $4 + 3 \times 2 \times 1$, $4 \times 3 - 2 \div 1$

$4 + 2 \times 3 + 1 = 4 \times 2 + 3 \times 1$

또는 $4 \times 2 + 3 \div 1$

응용연산

1 수 사이에 +, −, ×, ÷, ( )를 넣어 식이 성립하도록 만드세요. 여러 가지 방법이 있습니다.

$2 - 1 = 1$

$(1 + 2) \div 3 = 1$

$(4 - 3) \times (2 - 1) = 1$

$(1 \quad 2 - 3 - 4) \div 5 = 1$

$6 + 5 - (4 + 3 + 2 + 1) = 1$

$(1 + 2 + 3 + 4) \div 5 + 6 - 7 = 1$

$8 + 7 - 6 - 5 - 4 + 3 - 2 \times 1 = 1$

$1 \quad 2 \div 3 \div 4 \times 5 + 6 + 7 - 8 - 9 = 1$

이 외에도 여러 가지 방법이 있습니다.

2 각 식의 □ 안에 한 가지 숫자만 넣어 식이 성립하도록 만드세요.

$(\boxed{2} + \boxed{2} - \boxed{2}) \div \boxed{2} \times \boxed{2} = 2$

$\boxed{3} \div \boxed{3} + (\boxed{3} + \boxed{3} - \boxed{3}) = 4$

$\boxed{2} \times \boxed{2} \times \boxed{2} - (\boxed{2} + \boxed{2}) = 4$

$(\boxed{0} \times \boxed{0} \times \boxed{0} + \boxed{0}) + 5 = 5$

3 수 사이에 +, −, ×, ÷, ( )를 넣어 식이 성립하도록 만드세요. 여러 가지 방법이 있습니다.

$5 \times 5 + 5 + 5 + 5 = 40$

$9 \times (9 \div 9 + 9 \div 9) = 18$

$1 + 2 \times 3 - 4 + 5 - 6 + 7 - 8 = 1$

$(1 + 2 \times 3 + 4 + 5 - 6) \times (7 + 8 - 9) = 60$

이 외에도 여러 가지 방법이 있습니다.

형성평가

1 +, −, ×, ÷, ( )를 사용하여 계산 결과에 맞는 식을 만드세요.

$(4 - 3) \times 2 = 2$

$4 \times (3 - 2) = 4$
또는 $4 \div (3-2) = 4$
$4 \times (3 + 2) = 20$

$4 - 3 + 2 = 3$

$4 + 3 \times 2 = 10$
또는 $4 \times 3 - 2 = 10$

2 다음은 4개의 2와 +, −, ×, ÷, ( )를 사용하여 16을 만든 것입니다. 2의 개수를 늘려가며 16을 만드세요. 여러 가지 방법이 있습니다.

4개의 2: $2 \times 2 \times 2 \times 2 = 16$

5개의 2: $(2 + 2 + 2 + 2) \times 2 = 16$

6개의 2: $2 \times 2 \times 2 \times 2 \times 2 \div 2 = 16$

7개의 2: $2 \times 2 \times (2 + 2 + 2 + 2) \div 2 = 16$

8개의 2: $2 \times 2 \times 2 \times 2 \times 2 \times 2 \div 2 \div 2 = 16$

9개의 2: $2 \times 2 \times 2 + 2 + 2 + 2 + 2 + 2 - 2 = 16$

이 외에도 여러 가지 방법이 있습니다.

$5+5-5-5=0$ $(5 \div 5) \times (5 \div 5) = 1$ $(5 \div 5) + (5 \div 5) = 2$
$(5+5+5) \div 5 = 3$ $(5 \times 5 - 5) \div 5 = 4$ $(5-5) \times 5 + 5 = 5$
$(5 \times 5 + 5) \div 5 = 6$ $(5+5) \div 5 + 5 = 7$ $(5+5) - 5 \div 5 = 9$
$(5+5) \div 5 \times 5 = 10$

3 4개의 5 사이에 +, −, ×, ÷, ( )를 넣어 0부터 10까지의 수를 만들려고 합니다. 만들 수 없는 수 1개를 구하세요.

| 5 | 5 | 5 | 5 | | 8 |

4 주어진 수를 사용하여 계산 결과가 10이 되는 식을 3개 만드세요. 하나의 식에 수 5개를 모두 사용해야 하며 +, −, ×, ÷, ( )는 모두 사용하지 않아도 됩니다.

1 2 4 6 8

$(8-6) \times 4 + 2 \times 1 = 10$

$8 + (6-4) \div 2 + 1 = 10$

$8 \div 4 + 2 + 6 \times 1 = 10$
또는 $6 \times 8 \div 4 - 2 \times 1 = 10$
$48 \div 6 + 2 \times 1 = 10$
$6 + 8 - 4 \times (2-1) = 10$
이 외에도 여러 가지 방법이 있습니다.

5 ( )를 넣어 식이 성립하도록 만드세요.

$8 + 4 \times 6 - 24 \div (2 + 2) = 26$

$(8 + 4) \times 6 - 24 \div 2 + 2 = 62$

$(8 + 4 \times 6 - 24) \div 2 + 2 = 6$

84쪽

6 3, 5, 7, 9와 +, −, ×, ÷, ( )를 사용하여 13을 만드세요. 여러 가지 방법이 있습니다.

$9 + (5 + 7) \div 3 = 13$
또는 $5 \times (9 - 7) + 3$
이 외에도 여러 가지 방법이 있습니다.

7 4, 6, 7, 8과 +, −, ×, ÷, ( )를 사용하여 8을 만드세요. 여러 가지 방법이 있습니다.

$(6 + 8) \div 7 \times 4 = 8$
이 외에도 여러 가지 방법이 있습니다.

8 2, 5, 8, 9와 +, −, ×, ÷, ( )를 사용하여 4를 만드세요. 여러 가지 방법이 있습니다.

$2 \times 8 \div (9 - 5) = 4$
이 외에도 여러 가지 방법이 있습니다.

9 ○ 안에 + 또는 −를 넣어 식이 성립하도록 만드세요. 여러 가지 방법이 있습니다.

$9 + 8 + 7 + 6 - 5 - 4 - 3 + 2 + 1 = 21$
12만큼 빼는 여러 가지 방법이 있습니다.

66

Numbers rule the universe.

99

"수가 우주를 지배한다"

Pythagoras, 피타고라스